Doradca
smaku

Michel Moran

Doradca smaku

MUZA SA

Doradca smaku.pl

Świat kulinarnych inspiracji

rtner merytoryczny

Prymat®

wstęp

Z ogromną przyjemnością prezentuję zbiór przepisów, które przyrządziłem w programie „Doradca smaku". Motywem przewodnim odcinków jest przede wszystkim łatwość wykonania prezentowanych przeze mnie potraw, ale także oryginalne połączenia smaków kuchni europejskiej z tradycyjną kuchnią polską. Nieskomplikowane danie wbrew pozorom może być wyjątkowo smaczne, ponieważ tajemnica gotowania tkwi w szczegółach. Te szczegóły to cała gama aromatycznych przypraw i ziół, dzięki którym nasze potrawy nabiorą wyrazistego smaku. Wielu przypraw używa się od wieków. Ba, stoczono o nie mnóstwo wojen! Zapisały się na kartach historii ciągle żywym bukietem zapachów. A dziś? Mamy w zasięgu ręki przyprawy z całego świata i nie trzeba wydawać na nie fortuny.

Zioła i przyprawy powinny być nieodłącznym elementem każdej kuchni, bo to one właśnie inspirują i nadają charakter przyrządzanym potrawom. Szereg z nich zostało zapomnianych, innych po prostu nie znamy, a jeszcze kolejne zaszufladkowano pod nazwą „tradycyjne".

Otwórzmy się zatem na nowe możliwości i dajmy ponieść się fantazji w doborze smaków i aromatów. Odkryjmy te nieznane i przywróćmy do łask te zapomniane. Ożywmy naszą kuchnię za pomocą ziół i przypraw Prymat, których różnorodna paleta pobudzi nasze zmysły, ucieszy podniebienie oraz nada charakter potrawom.

Niech wspaniałe smaki i zapachy na stałe zagoszczą w Państwa domach.

Michel Moran

słone _____

słone

Zeskanuj kod i obejrzyj film

stone makaron

z domowym pesto

SKŁADNIKI
(dla 2 osób)

200 g makaronu penne

kilka płatków suszonych pomidorów

Pesto:

pęczek świeżej bazylii

3 ząbki czosnku

oliwa z oliwek

50 g orzechów pinii

50 g parmezanu

Przyprawy Prymat:

rozmaryn

oregano

sól morska

pieprz czarny mielony

SPOSÓB PRZYGOTOWANIA

- Pesto: Czosnek drobno siekamy. Orzechy pinii prażymy na suchej patelni. Parmezan ścieramy na tarce o drobnych oczkach. Całość miksujemy razem z liśćmi bazylii. Na koniec dodajemy oliwę z oliwek – jej ilość zależy od preferencji.

- Makaron gotujemy al dente w osolonej wodzie. Jeszcze ciepły wrzucamy do pesto i dokładnie mieszamy. Na koniec doprawiamy do smaku pieprzem, rozmarynem i oregano.
Na wierzchu układamy paski suszonych pomidorów.

Piniole
To orzeszki pinii (nasiona sosny).
Wykorzystywane są bardzo często w kuchni włoskiej.

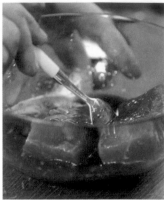

słone _____

stek z tuńczyka

w sosie sojowo-sezamowym

SKŁADNIKI

(dla 2 osób)

300 g świeżego tuńczyka

olej

5 pomidorów cherry

sałata roszponka

2–3 płatki pomidorów suszonych

olej sezamowy

Marynata:

50 ml sosu sojowego jasnego

50 ml oleju sezamowego

25 ml octu winnego

1 łyżka cukru

Przyprawy Prymat:

imbir mielony

pieprz cytrynowy

sól morska

pieprz czarny mielony

SPOSÓB PRZYGOTOWANIA

• Marynata: Mieszamy wszystkie składniki marynaty oraz odrobinę imbiru.

• Tuńczyka dzielimy na 2 części i marynujemy ok. 10 minut.

• Następnie smażymy na mocno rozgrzanej patelni na oleju sezamowym i oleju zwykłym po ok. 20 s z każdego boku. Posypujemy pieprzem cytrynowym. Następnie przekładamy do naczynia żaroodpornego, polewamy odrobiną tłuszczu z patelni i wstawiamy bez przykrycia do piekarnika nagrzanego do temperatury 180–190°C na 4 minuty.

• Na patelni na odrobinie oleju podsmażamy pokrojone w ćwiartki pomidory cherry. Posypujemy solą, pieprzem czarnym, pieprzem cytrynowym oraz imbirem. Dodajemy pokrojone w paski pomidory suszone. Wlewamy marynatę i smażymy, aby zredukować płyn.

PODANIE

• Tuńczyka wyjmujemy z piekarnika i kroimy w plastry. Powinien być lekko różowy w środku. Podajemy na roszponce. Polewamy marynatą z pomidorami.

słone

smażone krewetki

SKŁADNIKI
(dla 2 osób)

250 g krewetek

5 pomidorów cherry

50 ml wina białego wytrawnego

50 g migdałów obranych i w płatkach

150 g masła

olej

Opcjonalnie:
szczypiorek

Przyprawy Prymat:

sól morska

papryka ostra mielona

gorczyca biała

imbir tarty

kolendra cała

pieprz czarny ziarnisty

SPOSÓB PRZYGOTOWANIA

- W moździerzu rozgniatamy kolendrę, gorczycę oraz imbir. Proporcje zależą od upodobań. Na koniec dodajemy paprykę ostrą.

- Krewetki obieramy i wrzucamy na patelnię z odrobiną oleju. Posypujemy solą, świeżo zmielonym czarnym pieprzem i smażymy krótko do uzyskania złotawego koloru. Odwracamy krewetki na drugą stronę i ponownie posypujemy solą i pieprzem.

- Krewetki wyjmujemy, a na pozostały tłuszcz wrzucamy migdały całe oraz płatki i podsmażamy. Gdy się przyrumienią, dodajemy połówki pomidorów cherry i zalewamy winem. Odparowujemy. Doprawiamy do smaku przygotowaną mieszanką przypraw. Do migdałów wrzucamy krewetki i całość smażymy ok. 4 minut. Możemy dodać posiekany szczypiorek. Na koniec dodajemy masło i mieszamy, aż się rozpuści.

PODANIE

- Zdejmujemy z ognia i podajemy. Możemy posypać szczypiorkiem.

Gorczyca
W smaku ostra, zbliżona do chrzanu.
Po uprażeniu w gorącym oleju nasiona zyskują ostry aromat.
Jest głównym składnikiem musztardy.
Stosowana jest do pikli, marynat, sosów oraz mięsa.

stone risotto

z parmezanem

SKŁADNIKI
(dla 2 osób)

250 g ryżu risotto

15 g grzybów suszonych

100 g parmezanu

3 szalotki

1 ząbek czosnku

oliwa z oliwek

700 ml wywaru warzywnego

40 g masła

natka pietruszki

kilka listków świeżej bazylii

Przyprawy Prymat:

pieprz biały mielony

oregano

sól morska

SPOSÓB PRZYGOTOWANIA

- Czosnek i szalotki bardzo drobno siekamy i wrzucamy na rozgrzaną patelnię z odrobiną oliwy z oliwek. Gdy szalotki lekko się zeszklą, wsypujemy suchy ryż i małe kawałki grzybów. Całość chwilę pod-smażamy, mieszając od czasu do czasu, aby ryż się nie przypalił. Następnie wlewamy wywar warzywny, w takiej ilości, aby przykryć ryż. Zmniejszamy ogień i pozwalamy wywarowi odparować. Co jakiś czas mieszamy. Następnie ponownie dolewamy wywaru ponad poziom ryżu i mieszamy. Czynność powtarzamy, aż ryż będzie odpowiednio miękki (ok. 20 min).

- Gdy ryż jest już miękki, doprawiamy całość do smaku pieprzem bia-łym i oregano oraz posypujemy parmezanem startym na tarce o dużych oczkach. Następnie zdejmujemy patelnię z ognia, dodajemy masło i mieszamy.

PODANIE
- Gotowe risotto wykładamy na talerz, dekorujemy listkami świeżej bazylii i posypujemy posiekaną natką pietruszki.

Parmezan
Jeden z najbardziej znanych na świecie włoskich serów.
Nadaje się do konsumpcji w zestawie serów,
a także tarty jako dodatek smakowy i dekoracyjny do różnych dań.

słone

zapiekanka z dyni

SKŁADNIKI
(dla 4 osób)

800 g obranej dyni

40 ml śmietany 36%

120 g sera gruyère

2 jajka

Przyprawy Prymat:

tymianek

imbir mielony

papryka ostra mielona

gałka muszkatołowa

sól morska

pieprz czarny mielony

SPOSÓB PRZYGOTOWANIA

- Jajka roztrzepujemy, dodajemy do nich ¾ startego drobno sera oraz śmietanę i mieszamy. Całość doprawiamy do smaku tymiankiem, imbirem oraz papryką ostrą.

- Dynię kroimy w kostkę o boku co najmniej 1 centymetra. Kawałki dyni wrzucamy następnie do garnka z dużą ilością posolonej wody i wstawiamy do zagotowania. Gdy kawałki dyni będą dość miękkie, odcedzamy ją i przekładamy do naczynia żaroodpornego. Naczynie wstawiamy bez przykrycia do piekarnika nagrzanego do temperatury 160–170°C. Gdy woda z dyni odparuje, wyjmujemy naczynie z piekarnika i delikatnie rozgniatamy dynię, np. tłuczkiem do ziemniaków.

- W oddzielnej miseczce mieszamy rozgniecioną dynię z wcześniej przygotowanym sosem jajeczno-śmietanowym, doprawiamy gałką muszkatołową i pieprzem. Całość przekładamy do naczynia żaroodpornego, posypujemy pozostałym serem i wstawiamy bez przykrycia do piekarnika nagrzanego do temperatury 160–170°C.

PODANIE
- Gdy ser się lekko przypiecze, wyjmujemy zapiekankę z piekarnika i podajemy.

słone _____

stone przekładaniec

z łososia z bobem

SKŁADNIKI
(dla 2 osób)

350 g łososia

200 g bobu wyłuskanego

50 g masła

garść orzechów laskowych

olej sezamowy

50 ml wina białego wytrawnego

chrzan tarty

Przyprawy Prymat:

kurkuma

przyprawa do ryb

sól morska

pieprz czarny mielony

SPOSÓB PRZYGOTOWANIA

- Bób gotujemy w osolonej wodzie i odstawiamy do ostygnięcia.

- Mięso łososia oddzielamy od skóry i posypujemy z dwóch stron solą, pieprzem, kurkumą, przyprawą do ryb oraz polewamy olejem sezamowym. Łososia wstawiamy do piekarnika nagrzanego do temperatury 180°C na kilka minut. Łosoś po upieczeniu powinien być lekko różowy w środku.

- Gdy łosoś jest w piekarniku, wrzucamy na rozgrzaną patelnię z masłem ugotowany bób. Dodajemy posiekane drobno orzechy laskowe, dolewamy odrobinę oleju sezamowego. Całość chwilę smażymy. Następnie dolewamy białe wino i pozostawiając patelnię na małym ogniu, czekamy, aż wino nieco odparuje.

- Upieczonego łososia wyjmujemy z piekarnika i rozdrabniamy.

PODANIE

- W szklanych foremkach układamy na przemian warstwy bobu i rozdrobnionego łososia. Każdą warstwę łososia możemy polać odrobiną oleju sezamowego, aby ryba nie była zbyt sucha. Przekładaniec najlepiej smakuje z dodatkiem chrzanu tartego, który podajemy w oddzielnej miseczce.

  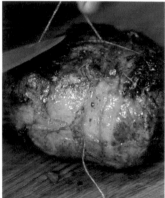

słone _____

pieczony rostbef

zawijany w słoninę

SKŁADNIKI
(dla 4 osób)

700 g rostbefu

100 g słoniny
w cienkich plastrach

60 ml wina białego
wytrawnego

1 cebula

1 seler naciowy

1 marchewka

1 ząbek czosnku

75 ml wywaru
wołowego

20 g masła

olej

musztarda rosyjska
Prymat

Przyprawy Prymat:
pieprz biały mielony
liść laurowy
sól morska

SPOSÓB PRZYGOTOWANIA

• Rostbef posypujemy z każdej strony solą i pieprzem, owijamy plastrami słoniny i związujemy sznurkiem. Ponownie posypujemy niewielką ilością soli oraz pieprzu. Mięso smażymy z każdej strony na patelni na rozgrzanym oleju z dodatkiem masła (8–10 min).

• W tym czasie kroimy w drobną kostkę marchew, seler, cebulę oraz czosnek.

• Mięso po usmażeniu przekładamy do naczynia żaroodpornego i wstawiamy bez przykrycia do piekarnika nagrzanego do temperatury 180–190°C na ok. 15 minut. Na pozostałym tłuszczu smażymy pokrojone warzywa. Doprawiamy pieprzem białym, 3 listkami laurowymi i zalewamy białym winem. Odparowujemy alkohol i zalewamy wywarem.

PODANIE

• Po wyjęciu mięsa z piekarnika zdejmujemy sznurek i kroimy rostbef w plastry. Podajemy z musztardą i warzywami.

słone

de volaille

według Michela

SKŁADNIKI

(dla 2 osób)

2 piersi z kurczaka

1 ząbek czosnku

50 g masła

4 plastry żółtego sera

4 plastry szynki parzonej

bułka tarta Prymat

2 jajka

natka pietruszki

musztarda kremska Prymat

olej

Opcjonalnie:

sałata karbowana

Przyprawy Prymat:

przyprawa do kurczaka

sól morska

pieprz czarny mielony

SPOSÓB PRZYGOTOWANIA

- Masło wyjmujemy wcześniej z lodówki, aby było miękkie, a następnie łączymy je z posiekaną natką pietruszki. Dodajemy drobno pokrojony czosnek, sól oraz pieprz.

- Piersi z kurczaka nacinamy delikatnie, „otwierając" je, owijamy w folię spożywczą i rozbijamy na kotlety. Każdy kotlet smarujemy z jednej strony niewielką ilością musztardy, na to układamy 2 plastry szynki oraz sera żółtego. Posypujemy solą oraz pieprzem, smarujemy masłem z pietruszką. Piersi zwijamy w roladki i spinamy wykałaczkami. Po wierzchu możemy posypać solą i pieprzem.

- Roladki panierujemy w jajku i bułce tartej z dodatkiem przyprawy do kurczaka. Na patelni rozgrzewamy olej z masłem i smażymy roladki na złoto z każdej strony (ok. 4 min). Następnie przekładamy do naczynia żaroodpornego, polewamy odrobiną tłuszczu z patelni i wstawiamy bez przykrycia do piekarnika nagrzanego do temperatury 180–190°C na ok. 11 minut.

PODANIE

- Przed podaniem wyjmujemy wykałaczki. Można podawać z sałatą karbowaną.

słone

medaliony cielęce

SKŁADNIKI
(dla 2 osób)

400 g polędwicy cielęcej

100 g sera roquefort

50 g masła

150 g pieczarek

2 szalotki

50 ml wina białego wytrawnego

250 ml śmietany 18%

olej

Opcjonalnie:
chrzan tarty

Przyprawy Prymat:
kolendra cała
gałka muszkatołowa
sól morska
pieprz czarny mielony

SPOSÓB PRZYGOTOWANIA

• Szalotki kroimy w cienkie piórka, pieczarki w ćwiartki. Cielęcinę kroimy w dość duże kawałki, każdy kawałek uciskamy ręką, aby go spłaszczyć. Mięso posypujemy solą oraz pieprzem i smażymy na patelni na rozgrzanym oleju z dodatkiem masła po 2–3 min z każdej strony. Następnie przekładamy do naczynia żaroodpornego i wstawiamy bez przykrycia do piekarnika nagrzanego do temperatury 180–190°C na 5–6 minut.

• W tym czasie na patelnię z małą ilością oleju wrzucamy pieczarki. Gdy lekko się przyrumienią, dodajemy szalotkę. Następnie wlewamy wino, a później śmietanę. Całość chwilę gotujemy. Dodajemy kawałki sera i dokładnie mieszamy. Jeśli lubimy ostre smaki, możemy dodać odrobinę tartego chrzanu. Doprawiamy do smaku kolendrą i gałką muszkatołową.

PODANIE

• Kawałki cielęciny podajemy polane sosem.

Szałwia

Uzywana jest w niewielkich ilościach w stanie świezym lub suszonym do przyprawiania dań z cielęciny, wątroby, grochu i fasoli. Pobudza wydzielanie soków trawiennych, przeciwdziała wzdęciom. Liście mają intensywny zapach i pikantno-gorzkawy smak.

słone _____

stone przepiórki
w sosie kaparowo-musztardowym

SKŁADNIKI
(dla 2 osób)

6 piersi przepiórczych

sałata rzymska

1 marchewka

1 cebula

20 g masła

olej

mąka

20 g kaparów

60 ml wina białego
wytrawnego

100 ml śmietany 18%

musztarda kremska
Prymat

Przyprawy Prymat:

majeranek otarty

kminek cały

sól morska

pieprz kolorowy ziarnisty

SPOSÓB PRZYGOTOWANIA

- Marchewkę oraz cebulę kroimy w drobną kostkę. Marchewkę smażymy chwilę na patelni na niewielkiej ilości oleju. Dodajemy cebulę. Całość chwilę smażymy. Dodajemy całe kapary i zdejmujemy patelnię z ognia.

- Piersi przepiórcze posypujemy niewielką ilością soli (pamiętajmy, że kapary są słone) i obtaczamy w mące. Następnie smażymy na patelni na niewielkiej ilości oleju z dodatkiem masła. Gdy z mąki utworzy się lekka, złocista skórka, przekładamy mięso do naczynia żaroodpornego. Naczynie wkładamy do piekarnika nagrzanego do temperatury 180–190° C na 3–5 minut.

- Patelnię z marchewką ponownie stawiamy na ogniu i dolewamy wino. Doprawiamy majerankiem, kminkiem i chwilę smażymy. Dodajemy śmietanę oraz kilka ziaren pieprzu kolorowego i mieszamy. Dodajemy 2 łyżeczki musztardy.

PODANIE

- Piersi przepiórcze wyjmujemy z piekarnika. Podajemy ułożone na liściach sałaty i polane sosem kaparowo-musztardowym.

słone

comber

z jelenia pieczony

SKŁADNIKI

(dla 2 osób)

500 g combra jelenia

500 ml bulionu wołowego

2 łyżeczki konfitury
z czerwonej porzeczki

50 g masła

50 g mąki pszennej

olej

cukier

Marynata:

1 marchewka

1 seler naciowy

1 cebula

1 ząbek czosnku

750 ml wina czerwonego
wytrawnego

Przyprawy Prymat:

owoc jałowca

goździki całe

ziele angielskie całe

liść laurowy

pieprz czarny ziarnisty

pieprz czarny mielony

sól morska

SPOSÓB PRZYGOTOWANIA

• Marynata: Warzywa do marynaty kroimy w kostkę, dodajemy kilka ziaren ziela angielskiego, czarnego pieprzu oraz jałowca, kilka goździków, 2 liście laurowe. Całość zalewamy winem.

• Mięso zalewamy marynatą, wstawiamy do lodówki i marynujemy co najmniej 2–3 godziny.

• Z masła i mąki przygotowujemy zasmażkę.

• Mięso wyjmujemy z lodówki, a marynatę przecedzamy przez sito. Warzywa z marynaty smażymy 4–5 min w garnku na odrobinie oleju. Następnie wlewamy pozostałe z marynaty wino i dodajemy 2 szczypty cukru. Gdy wyparuje ok. 1/3 wina, wlewamy bulion. Zmniejszamy ogień i zostawiamy, aby wywar trochę odparował (ok. 10–12 min). Po tym czasie ponownie przecedzamy całość. Czysty wywar przelewamy do garnka i zagęszczamy zasmażką. Całość należy dobrze wymieszać. Następnie dodajemy konfiturę.

• W tym czasie mięso kroimy w dość grube plastry. Posypujemy solą i pieprzem. Smażymy na patelni na niewielkiej ilości oleju po 2 min z każdej strony. Następnie przekładamy do naczynia żaroodpornego i wstawiamy bez przykrycia do piekarnika nagrzanego do temperatury 180–190°C na 2–3 minuty.

PODANIE

• Mięso podajemy polane sosem i udekorowane odrobiną konfitury.

Jałowiec
Charakteryzuje się intensywnym leśnym zapachem, przyjemnym, gorzko-słodkim, balsamicznym. Jagody mają żywiczny smak przypominający sosnę i terpentynę. Stosowany jest do marynat, potraw z dziczyzny i wieprzowiny, duszonej cielęciny oraz wołowiny, a także dań z kapusty i do wędzenia mięsa oraz ryb.

słone _____

sałatka z rukoli

z gruszką i serem pleśniowym

SKŁADNIKI
(dla 2 osób)

rukola

70 g sera pleśniowego typu blue

2 gruszki

sok z ½ pomarańczy

50 g orzechów włoskich

2 plastry szynki parmeńskiej

oliwa z oliwek

Przyprawy Prymat:

pieprz biały mielony

gałka muszkatołowa

sól morska

SPOSÓB PRZYGOTOWANIA

• Gruszki obieramy i gotujemy ok. 15 min w syropie z cukru i wody (1:1).

• Po wystygnięciu dzielimy na pół, wyjmujemy gniazda nasienne, a następnie kroimy w drobną kostkę. Do gruszek dodajemy posiekane orzechy i pokrojony w kostkę ser pleśniowy. Doprawiamy do smaku pieprzem białym, gałką muszkatołową i dokładnie mieszamy. Na koniec wlewamy odrobinę soku pomarańczowego i oliwy z oliwek. Możemy dodać szczyptę soli. Dodajemy ¾ rukoli i delikatnie mieszamy. Jeśli sałatka jest zbyt sucha, możemy dodać jeszcze trochę oliwy.

• Każdy plaster szynki zwijamy w rulon i kroimy w cienkie paski.

PODANIE

• Na talerzach układamy pozostałą rukolę, na to wykładamy rukolę z serem i gruszką, całość posypujemy paskami szynki.

Rukola

Jest warzywem i rośliną przyprawową. Rośnie dziko nad Morzem Śródziemnym. Aromatyczne liście charakteryzują się intensywnym ostrym smakiem. Wykorzystywana jest do mieszanek sałat i jako dodatek do delikatnych potraw mięsnych.

SKŁADNIKI

(dla 4 osób)

1 kg łopatki jagnięcej

700 ml wywaru warzywnego

1 cebula

1 seler naciowy

1 marchewka

1 pietruszka

4 ziemniaki

40 g mąki pszennej

60 ml wina białego wytrawnego

1 ząbek czosnku

puszka pomidorów pelati

olej

Opcjonalnie:

mięta

Przyprawy Prymat:

ziele angielskie całe

goździki całe

sól morska

pieprz czarny mielony

SPOSÓB PRZYGOTOWANIA

- Jagnięcinę kroimy w grubą kostkę i obsmażamy z każdej strony na mocno rozgrzanym oleju. Kawałki jagnięciny obsmażamy partiami, po kilka sztuk. Każdą partię posypujemy solą i pieprzem, a po obsmażeniu mięso przekładamy do oddzielnej miseczki.

- Marchewkę, cebulę, pietruszkę i seler kroimy w grubą kostkę, o boku około 1 cm. Warzywa wrzucamy do tego samego garnka, w którym wcześniej obsmażaliśmy mięso i smażymy. Po około 5–6 min dodajemy pokrojony w plasterki czosnek i mieszamy. Wkładamy mięso. Całość posypujemy mąką. Następnie wlewamy białe wino i dokładnie mieszamy. Dodajemy pomidory pelati. Wrzucamy 4–6 ziarenek ziela angielskiego oraz kilka goździków. Chwilę gotujemy, aby wino odparowało, i wlewamy wywar warzywny ½–1 cm ponad poziom warzyw z mięsem. Całość gotujemy 45–60 min, aż mięso będzie miękkie. Po tym czasie zmniejszamy ogień.

- Na koniec kroimy ziemniaki w grubą kostkę i wrzucamy do garnka. Gdy będą miękkie, nasze danie jest gotowe! Możemy doprawić je miętą.

Mięta
Jej orzeźwiający smak pasuje do baraniny, ziemniaków, nasion strączkowych, sałat oraz owoców.

słone _____

stone zupa pomidorowa

z papryką i serem kozim

SKŁADNIKI
(dla 4 osób)

1 kg pomidorów

1 cebula

1 por

1 papryka czerwona

125 g sera koziego

1 łyżka śmietany 18%

olej

1 l wywaru warzywnego

Przyprawy Prymat:

sól morska

gałka muszkatołowa

imbir mielony

pieprz czarny mielony

SPOSÓB PRZYGOTOWANIA

• Paprykę kroimy na ćwiartki i usuwamy gniazda nasienne. Następnie układamy w naczyniu żaroodpornym skórą do góry, przykrywamy folią aluminiową i wstawiamy do piekarnika nagrzanego do ok. 200°C. Wyjmujemy paprykę, gdy jej skórka zbrązowieje, i jeszcze ciepłą owijamy folią. Po kilku minutach obieramy paprykę ze skóry.

• Por i cebulę kroimy w kostkę. Smażymy w garnku na rozgrzanym oleju. Pomidory sparzamy, obieramy ze skóry, kroimy w kawałki i wrzucamy do garnka. Całość doprawiamy do smaku solą, pieprzem, imbirem, gałką muszkatołową. Wlewamy wywar warzywny i zagotowujemy.

• Podgotowane warzywa miksujemy. Całość z powrotem przelewamy do garnka. Jeśli zupa jest zbyt gęsta, możemy dodać odrobinę wywaru. Kawałki papryki miksujemy, i dodajemy do pozostałych warzyw.

• Ser łączymy ze śmietaną. Doprawiamy do smaku solą, pieprzem, imbirem, gałką muszkatołową.

PODANIE

• Zupę podajemy z knedelkiem uformowanym dwiema łyżkami z koziego sera ze śmietaną.

stone pomidory

z mozzarellą na ciepło

SKŁADNIKI
(dla 2 osób)

2 pomidory

4 pomidory cherry

2 sery mozzarella buffalo

oliwa z oliwek

rukola

kilka oliwek czarnych

Przyprawy Prymat:

sól morska

bazylia

rozmaryn

pieprz czarny mielony

SPOSÓB PRZYGOTOWANIA

• Pomidory obieramy ze skóry i kroimy w dość grube plastry. Każdy plaster posypujemy solą, pieprzem, bazylią i rozmarynem. Tak samo postępujemy z mozzarellą.

• Na patelni rozgrzewamy oliwę i smażymy jednocześnie wszystkie plastry pomidorów po kilka sekund z każdej strony.

• Podsmażone pomidory i ser dzielimy na 2 części. Następnie w naczyniu żaroodpornym układamy na przemian plastry pomidora z plastrami mozzarelli, aż do wyczerpania składników. Tak samo postępujemy z drugą częścią. Przekładańce przebijamy z góry wykałaczką, aby się nie rozpadły podczas zapiekania i wstawiamy do piekarnika nagrzanego do temperatury 180°C na ok. 4–5 minut.

PODANIE

• Przekładańce podajemy od razu po wyjęciu z piekarnika na talerzu razem z rukolą, czarnymi oliwkami i pomidorkami cherry.

Bazylia
Niezastąpiony składnik prawie wszystkich włoskich dań.
Liście o aromatycznym zapachu pasują do pomidorów,
makaronów, baraniny, sera, sałat; główny składnik pesto.
Można ją gotować razem z potrawą.

słone _____

tournedos (filet) z gęsi

w sosie porto z grzybami suszonymi

SKŁADNIKI
(dla 2 osób)

2 piersi z gęsi

70 ml porto

50 g suszonych
borowików

100 g masła

300 ml wywaru
drobiowego

2 szalotki

olej

Przyprawy Prymat:

sól morska

pieprz biały mielony

kminek cały

pieprz czarny mielony

SPOSÓB PRZYGOTOWANIA

• Piersi układamy na desce skórą do dołu i ścinamy z góry kawałki mięsa, tak aby powstał płaski filet. Jeśli poza mięso wystają kawałki skóry z tłuszczem, możemy je odciąć. Mięso posypujemy solą oraz pieprzem czarnym. Każdą pierś zwijamy w roladkę i związujemy sznurkiem. Posypujemy po wierzchu niewielką ilością soli i pieprzu białego.

• Roladki smażymy z każdej strony na złocisty kolor na patelni na mocno rozgrzanym oleju, a następnie przekładamy do naczynia żaroodpornego, polewamy odrobiną pozostałego tłuszczu i wstawiamy do piekarnika nagrzanego do 180–190°C.

• Namoczone wcześniej borowiki kroimy w cienkie paski, szalotki w kostkę i smażymy razem na tłuszczu pozostałym ze smażenia gęsi. Po chwili dolewamy porto. Czekamy, aż porto nieco odparuje, i doprawiamy do smaku kminkiem. Następnie dodajemy wywar i ponownie odparowujemy. Na koniec dodajemy masło, zdejmujemy patelnię z ognia i mieszamy, aż masło się rozpuści.

PODANIE

• Gęsinę wyjmujemy z piekarnika, gdy będzie miękka, usuwamy sznurek i obtaczamy w sosie. Podajemy polaną sosem.

słone _____

zimowa minestrone

SKŁADNIKI
(dla 2 osób)

3 ziemniaki

1 marchewka

1 rzepa

1 por

¼ białej kapusty

1 pomidor

500–700 ml wywaru warzywnego

Przyprawy Prymat:

sól morska

ziele angielskie całe

majeranek otarty

SPOSÓB PRZYGOTOWANIA

- Kapustę drobno szatkujemy, wrzucamy do garnka, dolewamy trochę wody, zalewamy wywarem warzywnym i zagotowujemy.

- Rzepę, marchewkę, por oraz ziemniaki kroimy w drobną kostkę. Pomidor sparzamy, obieramy ze skóry i kroimy w ćwiartki. Z każdej ćwiartki wyjmujemy nasiona, a pozostałe części również kroimy w drobną kostkę.

- Do gotującej się kapusty wrzucamy marchewkę, dodajemy do smaku soli, 3–4 ziarenka ziela angielskiego i gotujemy 3–4 minuty. Dodajemy rzepę oraz por i gotujemy 6–7 minut. Doprawiamy majerankiem, wrzucamy ziemniaki i zmniejszamy ogień. Następnie odlewamy 2 chochelki warzyw z bulionem, dodajemy do nich miąższ z pomidora oraz ⅕ pokrojonego pomidora i miksujemy. Po zmiksowaniu wlewamy z powrotem do zupy. Na koniec dodajemy resztę pomidora.

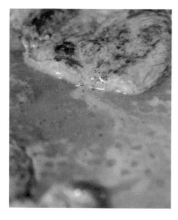

słone

stone bitki cielęce

z koprem włoskim

SKŁADNIKI
(dla 2 osób)

500 g cielęciny

2 kopry włoskie

oliwa z oliwek

sok z ½ cytryny

2 łyżki masła

500 ml wody

musztarda delikatesowa
Prymat

Przyprawy Prymat:

sól morska

kolendra

pieprz kolorowy ziarnisty

pieprz czarny mielony

SPOSÓB PRZYGOTOWANIA

- Polędwicę cielęcą oczyszczamy ze ścięgien i kroimy na równe kawałki. Każdy kawałek owijamy w folię spożywczą i rozbijamy na grubość ok. ½ centymetra. Rozbite kawałki przykrywamy folią i odkładamy.

- Koper włoski kroimy w cienkie piórka i smażymy na patelni na oliwie z oliwek. Doprawiamy do smaku solą, kolendrą i pieprzem kolorowym. Gdy koper zmięknie, dolewamy odrobinę wody. Odparowujemy i zdejmujemy z ognia.

- Bitki posypujemy solą i pieprzem i smażymy na patelni na oleju po ok. 2 min z każdej strony. Do pozostałego tłuszczu dolewamy trochę wody i dokładnie mieszamy. Dodajemy sok z cytryny. Na koniec wrzucamy masło i mieszamy, aż się rozpuści. Następnie do sosu wkładamy bitki i całość chwilę podgrzewamy.

PODANIE

- Bitki podajemy z musztardą i koprem włoskim.

43

słone

hamburger

domowy

SKŁADNIKI
(dla 2 osób)

300 g wołowiny siekanej

1 mała sałata karbowana

40 g boczku świeżego
lub wędzonego

1 pomidor

2 bułki do hamburgerów

2 jajka

2 łyżki majonezu

keczup

olej

Przyprawy Prymat:

przyprawa do mięsa
mielonego

papryka słodka mielona

pieprz czarny mielony

sól morska

SPOSÓB PRZYGOTOWANIA

- Kroimy drobno sałatę i mieszamy ją z 2 łyżkami majonezu. Pomidor kroimy w niezbyt grube plastry i odkładamy na później.

- Mięso doprawiamy do smaku solą, pieprzem, papryką słodką, przyprawą do mięsa mielonego i mieszamy dokładnie. Formujemy hamburgery o grubości około 1 cm i odkładamy.

- Boczek kroimy na cienkie plasterki i smażymy na rozgrzanej suchej patelni. Usmażony boczek zdejmujemy z patelni i na pozostałym tłuszczu smażymy z obydwu stron przygotowane wcześniej hamburgery. Mięso powinno pozostać lekko krwiste w środku.

- Do piekarnika z funkcją grillowania od góry wstawiamy przekrojone na pół bułki, by lekko się zrumieniły. Następnie obydwie połówki bułek smarujemy ketchupem. Na spodniej części bułki kładziemy plasterek boczku, sałatę z majonezem, plaster pomidora, usmażony burger i drugi plasterek boczku. Na razie nie przykrywamy składników wierzchem bułki. Całość wkładamy do piekarnika nagrzanego do temperatury 180°C na mniej więcej 2 minuty.

- W tym czasie na patelni z odrobiną oleju smażymy jajka sadzone.

PODANIE

- Wyjmujemy z piekarnika hamburgery, na wierzch każdego kładziemy jajko, przykrywamy drugą połową bułki, lekko dociskamy i podajemy.

Pieprz czarny
Ma korzenny zapach i ostry, palący smak.
Jest używany zarówno do potraw słodkich, jak i pikantnych.
Znalazł powszechne zastosowanie do doprawiania bulionów,
zup, sosów, marynat, mięs, ryb, serów i sałatek.

słone

dorsz zapiekany

pod serem gruyère

SKŁADNIKI
(dla 2 osób)

300 g filetu z dorsza

5–6 łyżeczek
śmietany 36%

1 l wody

½ l mleka 2%

150 g ugotowanych
ziemniaków

2 ząbki czosnku

100 g sera gruyère

oliwa z oliwek

Przyprawy Prymat:
gałka muszkatołowa
mielona
pieprz biały mielony
sól morska

SPOSÓB PRZYGOTOWANIA

- Dorsza moczymy 15 min w letniej wodzie, osuszamy papierowym ręcznikiem, a następnie kroimy na małe kawałki. Pokrojoną rybę wrzucamy do wrzącej wody z dodatkiem mleka (mleko dodajemy po to, aby dorsz pozostał biały), gotujemy 2–3 min i odcedzamy. W czasie gotowania kawałki dorsza mogą się rozpaść, ale nie należy się tym przejmować.

- Ugotowane ziemniaki rozdrabniamy widelcem w miseczce. Dodajemy 1 łyżeczkę oliwy, posiekany czosnek oraz odrobinę soli i wszystko dokładnie mieszamy. Łączymy ziemniaki z dorszem. Do tak powstałej masy dodajemy jeszcze 2½ łyżeczki śmietany i doprawiamy wszystko odrobiną soli, pieprzem białym oraz gałką muszkatołową.

- Oliwą z oliwek smarujemy foremki do zapiekania i nakładamy do nich wyrobioną masę. Foremka powinna być w całości wypełniona. Wierzch polewamy 1 łyżeczką śmietany, aby zapiekanka nie była zbyt sucha. Wkładamy do piekarnika nagrzanego do temperatury 180–190°C. Gdy zapiekanki są gorące w środku, wyjmujemy je z piekarnika i posypujemy serem gruyère startym na tarce o grubych oczkach. Jeśli nie mamy sera gruyère, możemy użyć ementalera lub dowolnego żółtego sera. Aby sprawdzić, czy zapiekanki są gorące w środku, możemy użyć zwykłego noża kuchennego: ostrze noża wbijamy z góry w zapiekankę, chwilę przytrzymujemy i wyjmujemy. Jeśli ostrze jest gorące, oznacza to, że nasza zapiekanka również jest gorąca.

- Zapiekankę wkładamy z powrotem do rozgrzanego piekarnika i wyjmujemy, gdy ser zacznie się przypiekać.

PODANIE

- Dekorujemy listkiem bazylii i podajemy.

słone _____

warzywa grillowane

SKŁADNIKI
(dla 2 osób)

1 zielona papryka

1 czerwona papryka

1 bakłażan

1 cukinia

1 cebula

20 g czarnych oliwek

20 g zielonych oliwek

1 mała puszka filetów anchois

50 ml oliwy z oliwek

2 ząbki czosnku

Przyprawy Prymat:

zioła prowansalskie

oregano

sól morska

pieprz czarny mielony

SPOSÓB PRZYGOTOWANIA

- Papryki kroimy na ćwiartki, skrapiamy oliwą, doprawiamy do smaku solą, pieprzem, oregano oraz ziołami prowansalskimi i grillujemy na patelni grillowej, rozpoczynając od zewnętrznej części papryki. Zgrillowane papryki przekładamy do naczynia żaroodpornego i zapiekamy kilka minut w piekarniku nagrzanym do temperatury 180°C, aż zrobią się lekko miękkie.

- W tym czasie kroimy w plastry cukinię i bakłażan, przyprawiamy tak samo jak paprykę i grillujemy oddzielnie na patelni. Warzywa odkładamy na talerz.

- W naczyniu żaroodpornym, w którym wcześniej zapiekaliśmy papryki, układamy naprzemiennie w rzędach: paprykę, bakłażan i cukinię. Tak przygotowane warzywa zapiekamy w piekarniku 5–7 min w temperaturze 180°C.

- Gdy warzywa są w piekarniku, kroimy drobno oliwki oraz czosnek. Cebulę siekamy w kostkę. Na patelni z odrobiną oliwy smażymy cebulę, aż się zeszkli, następnie dodajemy czosnek i oliwki, doprawiamy solą do smaku.

PODANIE

- Po wyjęciu warzyw z piekarnika posypujemy je cebulą z oliwkami i czosnkiem, a na wierzchu układamy fileciki anchois.

Oregano
Nazywane jest także lebiodką. Spokrewnione z majerankiem, wchodzi m.in. w skład ziół prowansalskich.
Służy do przyprawiania sosów, mięs, sałatek, pizzy.

słone _____

kotlet cielęcy

z sosem tartare

SKŁADNIKI

(dla 2 osób)

Sos tartare:

300 ml majonezu

20 g ogórków konserwowych

1 cebula

1 pęczek natki pietruszki

2 ugotowane żółtka jajka

1 łyżeczka musztardy rosyjskiej Prymat

Kotlet:

600 g cielęciny

1 jajko

bułka tarta Prymat

olej

masło

Przyprawy Prymat:

chilli pieprz cayenne

pieprz czarny mielony

sól morska

SPOSÓB PRZYGOTOWANIA

• Sos tartare: **Cebulę i ogórek drobno kroimy, żółtka rozgniatamy widelcem i wszystko mieszamy z majonezem. Dodajemy odrobinę posiekanej świeżej natki pietruszki oraz musztardę. Doprawiamy do smaku szczyptą soli i pieprzem cayenne.**

• Kotlety: **Cielęcinę kroimy w plastry, lekko rozbijamy, solimy i pieprzymy, a następnie obtaczamy w roztrzepanym jajku i bułce tartej. Na patelni rozgrzewamy olej z odrobiną masła i smażymy kotlety przez 2–3 min z każdej strony.**

PODANIE

• Usmażone kotlety podajemy z sosem tartare.

Pieprz cayenne

Najostrzejsza ze wszystkich przypraw, choć w smaku neutralna.
Powstaje z papryki chilli o długich wąskich strąkach, mocno palącej
w smaku. Dodaje „żaru" łagodnym potrawom. Stosowany jest do pikli,
sosów, dań z ryżu, fasoli, kukurydzy i manioku.
Nie należy go rozgrzewać na tłuszczu, gdyż gorzknieje.

słone _____

ogon wołowy

w cieście francuskim

SKŁADNIKI
(dla 4 osób)

500 g ogona wołowego

300 g ciasta francuskiego

1 cebula

1 por

1 pomidor

10 g mąki pszennej tortowej

100 ml wina czerwonego wytrawnego

1 l przegotowanej wody

10 g cukru kryształu

1 marchewka

1 jajko

olej

Przyprawy Prymat:

ziele angielskie całe

przyprawa do pieczeni i mięs duszonych

sól morska

pieprz czarny mielony

SPOSÓB PRZYGOTOWANIA

• Ogon wołowy kroimy na kawałki pomiędzy kręgami, przyprawiamy solą morską oraz pieprzem czarnym i odkładamy.

• Następnie przygotowujemy warzywa. Połowę pora kroimy w plasterki, cebulę oraz pomidor w kostkę. Do garnka wlewamy odrobinę oleju, wrzucamy cebulę i por. Gdy warzywa się zeszklą, dodajemy mięso i smażymy, aż się zrumieni. Wrzucamy 3–5 ziarenek ziela angielskiego, pokrojony pomidor i odrobinę mąki, tak by powstały sos lekko się zagęścił. Ciągle mieszając, wlewamy wino i chwilę gotujemy, aby trochę odparowało. Doprawiamy do smaku przyprawą do pieczeni, szczyptą cukru i uzupełniamy wodą w takiej ilości, aby przykryła wszystkie składniki. Zmniejszamy ogień i dusimy, aż ogon wołowy będzie miękki (czas duszenia zależy od wielkości ogona, jednak nie mniej niż 1 godzinę).

• Gdy mięso się dusi, kroimy w bardzo drobną kostkę pozostałą część pora i marchewkę. Warzywa gotujemy w oddzielnym garnku na pół twardo. Gdy mięso będzie miękkie, zestawiamy garnek z ognia i wyjmujemy mięso do ostygnięcia. Pozostałe składniki dokładnie miksujemy i przecedzamy przez sitko, aby powstał gładki sos. Dodajemy do sosu ugotowaną marchewkę i por.

• Przestudzone mięso z ogona wołowego oddzielamy od kości i kroimy w drobną kostkę. Przekładamy do garnka i wlewamy taką ilość sosu, aby smaki się połączyły. Pamiętajmy, że płynu nie może być za dużo, ponieważ farsz będziemy nakładać do koszyczków z ciasta francuskiego.

• Z ciasta francuskiego wykrawamy prostokąty, boki zawijamy do wewnątrz, zostawiając w środku wolne miejsce, a następnie smarujemy z wierzchu roztrzepanym jajkiem. Pieczemy około 10–12 min w temperaturze 200°C. Z upieczonych prostokątów wykrawamy środki i wypełniamy je przygotowanym mięsnym farszem.

PODANIE

• Dekorujemy wcześniej wyciętym środkiem z ciasta francuskiego.

słone

tagliatelle domowe

z wędzonym łososiem i żubrówką

SKŁADNIKI
(dla 2 osób)

Ciasto makaronowe:

100 g mąki pszennej tortowej

100 g mąki pszennej semoliny

2 jajka

odrobina letniej wody

Sos:

300 g wędzonego łososia

3 szalotki

40 ml wina białego wytrawnego

100 ml śmietany 36%

50 ml żubrówki

natka pietruszki lub koperek

oliwa z oliwek

Przyprawy Prymat:

imbir mielony

pieprz cytrynowy

sól morska

pieprz czarny mielony

SPOSÓB PRZYGOTOWANIA

- Ciasto: Do miski przesiewamy obydwa rodzaje mąki i wbijamy jajka. Dokładnie zagniatamy, aż powstałe ciasto stanie się sprężyste i gładkie. Jeżeli czujemy, że ciasto jest zbyt suche, możemy dodać odrobinę letniej wody. Zagniecione ciasto oprószamy mąką, owijamy folią spożywczą i wkładamy do lodówki na co najmniej 15 minut.

- Po wyjęciu ciasta z lodówki formujemy ręcznie placek grubości pół centymetra. Wkładamy do maszyny do makaronu, wałkujemy na bardzo cienki arkusz (około 2 mm), a następnie za pomocą nakładki na maszynę wycinamy tagliatelle. Jeśli nie mamy maszyny do makaronu, możemy przygotować tagliatelle, posługując się wałkiem do ciasta i nożem. Rozwałkowany arkusz kroimy wówczas nożem na paski szerokości około 6 milimetrów. Makaron gotujemy al dente we wrzącej, osolonej wodzie.

- Sos: Szalotki kroimy w piórka i smażymy na oliwie. Gdy się zeszklą, dodajemy wino i odrobinę żubrówki. Czekamy, aż większość płynu odparuje, i dodajemy połowę śmietany, szczyptę soli, pieprz, imbir oraz pieprz cytrynowy. Do sosu dodajemy pozostałą część śmietany, drobno posiekaną natkę pietruszki i łososia pokrojonego w paski (kilka pasków łososia zostawiamy do udekorowania dania). Na koniec dolewamy jeszcze odrobinę żubrówki. Do gotowego sosu wrzucamy ugotowany gorący makaron i delikatnie mieszamy. Gotowe danie wykładamy na talerz, dekorujemy paskami łososia i posiekanym koperkiem lub natką pietruszki.

słone

francuska zupa

z kapustą

stone

SKŁADNIKI
(dla 2 osób)

1 biała kapusta

400 g boczku wędzonego

2 marchewki

3 ziemniaki

1 cebula

2 łyżki smalcu

1 ząbek czosnku

1 kostka rosół z kury

woda

Przyprawy Prymat:

pieprz czarny ziarnisty

przyprawa do bigosu i dań z kapusty

sól morska

SPOSÓB PRZYGOTOWANIA

• Kapustę dzielimy na ćwiartki i szatkujemy na paski szerokości ½ centymetra. Następnie blanszujemy w dużym garnku przez 2 minuty. W tym czasie przygotowujemy pozostałe składniki: czosnek drobno siekamy, cebulę kroimy w piórka, boczek w grube plastry, marchewki w cienkie skośne plasterki, a ziemniaki w grubą kostkę.

• W garnku rozgrzewamy smalec, przysmażamy cebulę z czosnkiem i regularnie mieszamy. Po tym czasie dodajemy boczek i smażymy razem jeszcze 3–4 minuty. Następnie wrzucamy odcedzoną kapustę, mieszamy i od razu zalewamy wszystko wodą, tak aby przykryła kapustę. Doprawiamy do smaku odrobiną soli, pieprzem ziarnistym oraz przyprawą do bigosu i dań z kapusty. Gdy zupa zacznie się gotować, wrzucamy 1 kostkę rosołową. Po 20 min, licząc od momentu, gdy zupa zacznie się gotować, dorzucamy marchewki, a po kolejnych 3–4 min ziemniaki. Przykrywamy i gotujemy jeszcze około 10 minut.

PODANIE

• Serwujemy z plasterkiem boczku na wierzchu.

słone

zupa de picadillo

SKŁADNIKI
(dla 2 osób)

2 udka kurczaka

100 g boczku wędzonego

1 cebula

2 ząbki czosnku

100 g szynki hiszpańskiej serrano

1 mała golonka wieprzowa

80–100 ml białego wina wytrawnego

1 l wody

natka pietruszki

2 jajka

oliwa z oliwek

Przyprawy Prymat:

liść laurowy

tymianek

majeranek

sól morska

szafran nitki

SPOSÓB PRZYGOTOWANIA

• W garnku na odrobinie oliwy smażymy pokrojone w kostkę czosnek i cebulę, a następnie dokładamy golonkę (skórą do spodu). Całość chwilę smażymy, pilnując, żeby cebula się nie przypaliła. Następnie dolewamy odrobinę białego wina, zalewamy wszystko wodą i doprawiamy do smaku solą, liściem laurowym, tymiankiem i majerankiem. Całość doprowadzamy do wrzenia, a następnie zmniejszamy ogień i gotujemy dalej.

• W tym czasie kroimy boczek w kostkę o boku około 1 centymetra. Po 25 min, licząc od momentu, kiedy zupa zaczęła się gotować, dorzucamy udka kurczaka. Po kolejnych 15 min golonka i udka powinny być już gotowe (jeśli nadal są twarde, gotujemy jeszcze chwilę). Wyciągamy je z garnka, aby przestygły, a następnie kroimy na drobne kawałki. Resztę zupy przecedzamy przez sito i do tak przygotowanego wywaru wrzucamy pokrojoną szynkę serrano, boczek oraz kawałki mięsa. Dodajemy odrobinę nitek szafranu dla koloru, ugotowane na twardo i pokrojone w plasterki jajka oraz drobno posiekaną natkę pietruszki.

PODANIE

• Zupę nalewamy na talerze tak, aby w każdej porcji znalazły się jajka, boczek i kawałek mięsa.

słone _____

tatar z pstrąga,

SKŁADNIKI
(dla 2 osób)

250 g filetu z pstrąga

1 czerwona papryka

1 szalotka

natka pietruszki

1 limonka

1 łyżka oliwy z oliwek

kilka liści bazylii

Przyprawy Prymat:

sól morska

papryka słodka mielona

imbir mielony

SPOSÓB PRZYGOTOWANIA

• Umyte i osuszone filety z pstrąga oddzielamy od skóry, usuwamy ości i kroimy w bardzo drobną kostkę. Pokrojoną rybę odstawiamy na chwilę do lodówki. W tym czasie bardzo drobno siekamy paprykę, szalotkę oraz natkę pietruszki. Wszystko mieszamy z pstrągiem i doprawiamy do smaku solą, imbirem, sokiem z limonki oraz oliwą z oliwek.

PODANIE

• Na talerzu formujemy tatar. Do dekoracji najlepiej użyć liści bazylii, plasterków limonki i słodkiej papryki.

Imbir

Ma palący cytrynowo-słodkawy smak i korzenny aromat.
Działa rozgrzewająco. Jest jedną z najstarszych
i najważniejszych przypraw na świecie. Stosowany jest świeży,
konserwowany i suszony. Można go używać zarówno do potraw
pikantnych, jak i słodkich, jest ważnym składnikiem wielu mieszanek
przyprawowych. Służy do aromatyzowania likierów i piw.

słone

sałatka liońska

z jajkiem w koszulce

SKŁADNIKI
(dla 2 osób)

1 sałata lodowa

1 mała sałata karbowana

2 garści listków botwinki

40 g boczku wędzonego

200 g chleba tostowego

2 jajka

1 pomidor

ocet

olej

Sos do sałatki:

1 żółtko

musztarda sarepska
Prymat

ocet

oliwa z oliwek

Przyprawy Prymat:

pieprz ziołowy

sól morska

SPOSÓB PRZYGOTOWANIA

• Sos do sałatki: Do miski wrzucamy żółtko, dodajemy łyżeczkę musztardy sarepskiej i odrobinę octu (ilość octu zależy od upodobań, dodajemy go tyle, aby sos nie był zbyt rzadki). Całość mieszamy, dolewając powoli oliwę z oliwek, aż wszystkie składniki się połączą i powstanie gładka emulsja. Doprawiamy do smaku solą i pieprzem ziołowym.

• Boczek kroimy w grubą kostkę o boku około 1 cm i smażymy na patelni bez dodatku tłuszczu, aż się przyrumieni. Z pieczywa tostowego odkrawamy skórki, miąższ kroimy w kostkę i również smażymy na rumiano na patelni z odrobiną oleju.

• Do garnka z gorącą, ale nie wrzącą wodą dodajemy ocet oraz szczyptę soli i zmniejszamy ogień. Jajko delikatnie wbijamy do miseczki, tak aby żółtko się nie rozlało, a następnie ostrożnie wlewamy je do wody. Łyżką formujemy z jajka kulę, starając się, aby białko dokładnie otoczyło żółtko i gotujemy około 3 minut. Żółtko jajka powinno być płynne. Tak przygotowane jajko w koszulce osączamy na talerzu wyłożonym ręcznikiem papierowym.

PODANIE

• Na talerzu układamy liście sałaty lodowej, sałatę karbowaną i botwinkę, dodajemy grzanki oraz boczek, a na wierzchu kładziemy jajko w koszulce. Dekorujemy plasterkami pomidora i polewamy sosem.

słone _____

łopatka jagnięca
z czarnymi i zielonymi oliwkami

SKŁADNIKI
(dla 2 osób)

1 łopatka jagnięca
bez kości

1 cebula

2 ząbki czosnku

2 pomidory

50 g oliwek czarnych

50 g oliwek zielonych

20 g koncentratu
pomidorowego

olej

30 ml wina białego
wytrawnego

1 szklanka wody

mąka pszenna

Przyprawy Prymat:

tymianek

przyprawa do gulaszu

sól morska

pieprz czarny mielony

SPOSÓB PRZYGOTOWANIA

• Łopatkę przyprawiamy solą i pieprzem, nadajemy jej kształt walca, sznurujemy i odkładamy na chwilę.

• Pokrojone w kostkę cebulę i czosnek smażymy na patelni na odrobinie oleju. Gdy cebula zacznie się rumienić, dodajemy łopatkę. Mięso posypujemy tymiankiem i obsmażamy z każdej strony, aż ładnie się zrumieni. Następnie dolewamy wino, oprószamy mięso mąką i mieszamy, aby alkohol nieco odparował. Dodajemy obrane ze skóry i pokrojone w kawałki pomidory. Całość chwilę dusimy, a na koniec dolewamy 1 szklankę wody.

• Łopatkę przekładamy do naczynia żaroodpornego i posypujemy przyprawą do gulaszu. Do pozostałego na patelni sosu dodajemy ½ łyżki koncentratu pomidorowego, dokładnie mieszamy i wylewamy na mięso. Naczynie żaroodporne wkładamy do piekarnika nagrzanego do temperatury 180–190°C i pieczemy około 30–40 min w zależności od wielkości kawałka mięsa. Jagnięcina powinna mieć przyrumienioną skórkę. Po wyjęciu z piekarnika łopatkę kroimy na plastry grubości około 1–1,5 cm, a pozostały sos przelewamy do rondla, dodajemy całe oliwki i mieszamy.

PODANIE

• Plastry jagnięciny wykładamy na półmisek i polewamy sosem.

śledź marynowany

SKŁADNIKI
(dla 2 osób)

200 g śledzia w oleju

Marynata:

6 ząbków czosnku

100 ml oleju

3 łyżki purée pomidorowego

40 ml czerwonego octu winnego

40 ml wina białego wytrawnego

liście bazylii

Przyprawy Prymat:

papryka ostra mielona

liść laurowy

sól morska

pieprz czarny mielony

SPOSÓB PRZYGOTOWANIA

• Śledzia kroimy w poprzek na dość duże kawałki, o boku około 3 cm, i wstawiamy do lodówki.

• Marynata: Pokrojony w cienkie plasterki czosnek wrzucamy na lekko rozgrzaną patelnię z odrobiną oleju i smażymy na małym ogniu przez 1½–2 minuty. Do czosnku dodajemy purée pomidorowe i całość smażymy przez kolejne 2 minuty. Po tym czasie wlewamy wino i odrobinę octu. Dodajemy liść laurowy, doprawiamy do smaku szczyptą soli, pieprzem oraz papryką ostrą. Dusimy na małym ogniu około 10–15 minut. Na koniec do marynaty dodajemy jeszcze niewielką ilość oleju. Przekładamy marynatę do miseczki, a gdy przestygnie, wstawiamy na 5 min do lodówki, aby była chłodna.

• Schłodzone śledzie i marynatę wyjmujemy z lodówki. Pokrojone śledzie wykładamy na talerz i polewamy marynatą lub jeśli potrawę będziemy podawać później, mieszamy je z marynatą i wkładamy ponownie do lodówki.

PODANIE
• Gotowe danie dekorujemy listkami świeżej bazylii.

słone

jajka na twardo

na 4 sposoby: mimosa, z ziołami, z łososiem i z makrelą

SKŁADNIKI
(dla 2 osób)

4 jajka ugotowane
na twardo

100 ml majonezu

chrzan tarty

100 g wędzonego łososia

100 g wędzonej makreli

natka pietruszki

szczypiorek

1 cytryna

kilka pomidorków cherry

Przyprawy Prymat:
koperek suszony

bazylia

sól morska

pieprz czarny mielony

SPOSÓB PRZYGOTOWANIA

- Jajka obieramy, przecinamy na połówki i wyjmujemy żółtka. Następnie przystępujemy do przygotowania farszów.

- Jajka mimosa: 1 żółtko wkładamy do miseczki i łączymy je z odrobiną chrzanu, 2 łyżkami majonezu, odrobiną drobno posiekanej natki pietruszki i szczyptą soli. Miseczkę z farszem wstawiamy do lodówki.

- Jajka faszerowane łososiem: Wędzonego łososia kroimy w drobną kosteczkę, a następnie łączymy w miseczce z niewielką ilością majonezu i odrobiną posiekanego szczypiorku. Miseczkę z farszem wstawiamy do lodówki.

- Jajka faszerowane wędzoną makrelą: Makrelę obieramy ze skóry i oddzielamy od ości. Następnie bardzo drobno kroimy i, tak jak w przypadku jajek z łososiem, dodajemy majonez oraz posiekany szczypiorek. Całość dokładnie mieszamy i wstawiamy do lodówki.

- Jajka z ziołami: Do miseczki wkładamy majonez, bazylię, koperek, natkę pietruszki i odrobinę posiekanego szczypiorku. Mieszamy z niewielką ilością chrzanu i rozgniecionego żółtka. Wstawiamy do lodówki.

PODANIE

- Przygotowane farsze wyjmujemy z lodówki i używając rękawa cukierniczego lub zwykłej łyżeczki, wypełniamy nimi miseczki z białek. Układamy na talerzu, dekorujemy kawałkami cytryny, pomidorkami cherry i szczypiorkiem.

Koper
Jest aromatyczną przyprawą stosowaną do ryb, sosów maślanych, zup, sałat, serów i ziemniaków, a także do wypieku chleba. Owoce są niezbędnym dodatkiem do kwaszenia ogórków.

słone

wołowina

SKŁADNIKI

(dla 2 osób)

500 g pręgi wołowej

1 kostka rosołowa wołowa

2 łyżki mąki pszennej

1 marchewka

20 g pieczarek

olej

1 łyżeczka cukru

Marynata:

1 l wina czerwonego wytrawnego

2 szalotki

1 marchewka

1 czosnek

1 seler naciowy

1 por

Przyprawy Prymat:

tymianek

liść laurowy

ziele angielskie całe

przyprawa do gulaszu

sól morska

pieprz czarny mielony

natka pietruszki suszona

SPOSÓB PRZYGOTOWANIA

- Marynata: W dużym naczyniu łączymy wino, pokrojone w średnie kawałki warzywa, liść laurowy, tymianek oraz ziele angielskie. Na koniec dodajemy pokrojoną w średnie kawałki pręgę wołową i odstawiamy na noc do lodówki, by mięso się zamarynowało.

- Pręgę i warzywa wyjmujemy, a wino zostawiamy na później, do przygotowania sosu.

- Do wysokiego garnka wlewamy odrobinę oleju, wrzucamy po kolei kawałki mięsa, posypujemy odrobiną soli oraz pieprzem i smażymy. Gdy mięso puści trochę wody, wrzucamy do garnka warzywa z marynaty i posypujemy je mąką. Zmniejszamy ogień i wlewamy odcedzony winny sos z marynaty. Sos winny powinien przykryć wszystkie kawałki mięsa, jeśli jest go za mało, uzupełniamy czerwonym winem. Doprawiamy odrobiną cukru, przyprawą do gulaszu i kostką rosołową.

- Całość gotujemy przez około 50 minut. Gdy w czasie gotowania płyn wyparuje i odsłonią się warzywa, dolewamy wody. Po tym czasie z gulaszu wyjmujemy kawałki mięsa i odkładamy do osobnego naczynia.

- Resztę przelewamy przez sito, oddzielając sos od warzyw.

- Winny sos ponownie wlewamy do garnka, wrzucamy kawałki mięsa i dusimy przez 3–4 minuty. W tym czasie kroimy surową marchewkę w ukośne plastry o grubości około ½ cm, wrzucamy ją do garnka z mięsem i dusimy razem.

- Pieczarki kroimy w ćwiartki i podsmażamy na patelni z niewielką ilością oleju, aż się zrumienią. Przed smażeniem możemy je skropić cytryną – wówczas nie ściemnieją. Podsmażone pieczarki wrzucamy do gulaszu. Całość gotujemy, aż mięso będzie miękkie.

PODANIE

- Wykładamy mięso na talerz, polewamy sosem z marchewką i pieczarkami. Całość ozdabiamy natką pietruszki i podajemy.

słone

jajko mollet

z kawiorem i szampanem

SKŁADNIKI
(dla 2 osób)

Sos:

1 szalotka

100 g masła

50 ml śmietany 36%

40 ml wina białego wytrawnego

40 ml szampana

2 jajka

kilka kromek pieczywa tostowego

40 g kawioru z łososia

ocet

Przyprawy Prymat:

imbir mielony

papryka ostra

sól morska

SPOSÓB PRZYGOTOWANIA

- Sos: Do garnka wlewamy białe wino, wsypujemy drobno posiekaną szalotkę, doprawiamy odrobiną imbiru mielonego i gotujemy. Gdy prawie całe wino wyparuje, dolewamy śmietanę i mieszamy. Następnie, cały czas mieszając, dodajemy po kolei kawałki masła, aż do rozpuszczenia i utworzenia jednolitej masy. Do tak powstałego sosu dolewamy odrobinę szampana i pozostawiamy garnek na wolnym ogniu przez kilka minut, od czasu do czasu mieszając. Na sam koniec, tuż przed podaniem, doprawiamy sos szczyptą ostrej papryki.

- Z kromek pieczywa tostowego odcinamy skórki i przekrawamy po skosie na pół, aby powstały dwa trójkąty. Tostowe trójkąty wkładamy następnie na kilka minut do piekarnika nagrzanego do około 180°C, aby się zrumieniły.

- W tym czasie przygotowujemy wodę, w której ugotujemy jajka: do wody wsypujemy odrobinę soli i wlewamy trochę octu, który opóźni ścięcie się żółtka. Gdy woda zacznie wrzeć, wkładamy delikatnie jajka i gotujemy na miękko przez 5–5½ minuty. Po tym czasie wyjmujemy je, schładzamy w zimnej wodzie i ostrożnie obieramy.

PODANIE

- Na talerze wykładamy po łyżeczce kawioru, obok układamy przyrumienione chrupiące tosty. Obrane jajka kładziemy na kawiorze i polewamy je letnim sosem winnym. Talerz dekorujemy papryką mieloną i podajemy danie, najlepiej w towarzystwie kieliszka szampana.

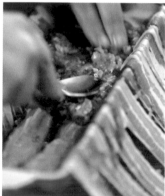

domowy pasztet

z królikiem

SKŁADNIKI
(dla 15 osób)

100 g combra z królika

400 g mielonego mięsa
z królika

400 g mielonej karkówki

400 g mielonej cielęciny

250 g boczku
wędzonego

2 jajka

2 szalotki

40 ml wina porto

chrzan tarty

natka pietruszki

listki bazylii

Przyprawy Prymat:

przyprawa do pieczeni

majeranek otarty

sól morska

pieprz czarny mielony

SPOSÓB PRZYGOTOWANIA

• Do dużej miski wkładamy mielone mięso królika, mięso wieprzowe, cielęcinę, 1 całe jajko, 1 żółtko, drobno pokrojone szalotkę oraz natkę pietruszki. Przyprawiamy solą, pieprzem, majerankiem i przyprawą do pieczenia. Na koniec dolewamy około 40 ml wina i całość dokładnie mieszamy ręką, aż wszystkie składniki farszu się połączą.

• Prostokątną formę do pasztetu wykładamy wewnątrz cienkimi plastrami boczku w taki sposób, żeby jego fragmenty wystawały poza formę. Formę wypełniamy połową farszu, następnie układamy paski posolonego combra z królika i przykrywamy pozostałym farszem. Nałożony farsz przykrywamy fragmentami boczku, które wystawały na zewnątrz.

• Formę przykrywamy pokrywką i zapiekamy w kąpieli wodnej przez około 1 godz. w piekarniku nagrzanym do 130–140°C. Po tym czasie wyjmujemy pasztet z piekarnika i pozostawiamy w formie do ostygnięcia.

PODANIE

• Pasztet kroimy w plastry i układamy na talerzach udekorowanych listkami bazylii. Podajemy z dodatkiem tartego chrzanu.

Majeranek
Ma tendencję do dominowania nad innymi smakami.
Dodawany jest do dań ciężko strawnych, mięsnych
i strączkowych. Często stosowany w masarstwie.
Dobrze komponuje się z tymiankiem, rozmarynem i szałwią.

słone _____

filet z sandacza

na parze z warzywami julienne

SKŁADNIKI
(dla 2 osób)

2 x 150 g filetu
z sandacza

1 marchewka duża

1 por

1 cukinia

1 pomidor

1 łyżka sosu sojowego
jasnego

świeża bazylia

oliwa z oliwek

woda

Przyprawy Prymat:

kminek mielony

przyprawa do ryb

imbir mielony

sól morska

pieprz czarny mielony

SPOSÓB PRZYGOTOWANIA

- Najpierw przygotowujemy warzywa. Cukinię, por i marchewkę kroimy w kawałki o długości około 5 cm, a następnie te kawałki kroimy w podłużne cienkie paseczki (julienne).

- Na patelnię wlewamy trochę wody i doprawiamy ją solą, kminkiem, imbirem oraz szczyptą przyprawy do ryb. Czekamy, aż się zagotuje, po czym wrzucamy do niej marchewkę. Po 2–3 min dorzucamy kawałki pora. Po kolejnych 2–3 min dodajemy cukinię. Gdy woda prawie całkowicie odparuje i cukinia będzie miękka, warzywa są gotowe.

- Pomidor obieramy ze skóry i usuwamy nasiona. Miąższ kroimy w drobną kostkę. Wrzucamy go do miseczki, skrapiamy oliwą z oliwek i jasnym sosem sojowym. Dwa liście bazylii szatkujemy i dodajemy do pomidorów. Dokładnie mieszamy.

- Filety z sandacza kroimy ukośnie na połowę, przyprawiamy solą i odkładamy. Następnie przygotowujemy patelnię do gotowania na parze. Wlewamy na nią wodę, którą doprawiamy solą, imbirem i przyprawą do ryb. Nakładamy kratkę i pokrywkę. Gdy woda na patelni zacznie parować, układamy rybę na kratce skórą do dołu. Gotujemy na parze 6–10 min, w zależności od grubości filetów. Oczywiście możemy również użyć urządzenia do gotowania na parze.

PODANIE

- Gotowe filety układamy na talerzach, na nie wykładamy pomidorową mieszankę z miseczki, a obok warzywa julienne. Filety skrapiamy oliwą.

słone _____

żeberka

w sosie barbecue

SKŁADNIKI
(dla 2 osób)

1 kg żeberek wieprzowych

olej

Sos barbecue:

½ l bulionu warzywnego

3 łyżki miodu wielokwiatowego

2 łyżki musztardy kremskiej Prymat

100 g koncentratu pomidorowego

4 łyżeczki sosu Worcestershire

20 ml wina czerwonego wytrawnego

oliwa z oliwek

2 cebule

1 ząbek czosnku

2 czerwone papryki

Przyprawy Prymat:
goździki całe

papryka ostra mielona

sól morska

pieprz czarny mielony

SPOSÓB PRZYGOTOWANIA

- Żeberka przyprawiamy z obu stron solą oraz pieprzem i smażymy 7–10 min na patelni na oleju, by nabrały koloru. Zrumienione żeberka wkładamy do naczynia żaroodpornego, polewamy tłuszczem z patelni i wkładamy na około 35 min do piekarnika nagrzanego do temperatury 160–180°C.

- Sos barbecue: Do rondelka wlewamy oliwę z oliwek, dodajemy pokrojoną w drobną kostkę cebulę i poszatkowany czosnek. Podsmażamy chwilę i dodajemy drobno pokrojoną czerwoną paprykę. Całość mieszamy i smażymy. Po chwili dolewamy wino czerwone, dodajemy miód i koncentrat pomidorowy, mieszamy. Następnie dodajemy 2 łyżki musztardy kremskiej, sos Worcestershire oraz bulion warzywny. Całość mieszamy i gdy sos się zagotuje, wrzucamy 5–6 goździków. Sos gotujemy jeszcze przez około 35 minut.

- Po upływie tego czasu przelewamy sos do blendera i miksujemy. Zmiksowany sos wlewamy z powrotem do garnka, doprawiamy szczyptą soli oraz ostrą papryką mieloną. Całość mieszamy.

- Po 35 min wyjmujemy żeberka z piekarnika, smarujemy obficie sosem barbecue z obu stron i wkładamy na powrót do piekarnika. Zmniejszamy temperaturę do 120–130°C i pieczemy 1½ godziny. Co 15–20 min zaglądamy do piekarnika, żeby przełożyć żeberka na drugą stronę i upewnić się, że nie są wyschnięte.

PODANIE

- Po niecałych 2 godz. wyjmujemy żeberka na talerz i smarujemy obficie sosem barbecue.

Goździki
Mają intensywny smak i zapach. Służą do aromatyzowania potraw słodkich i pikantnych. Są stosowane do win, likierów, a także marynat, przetworów rybnych, dań mięsnych, sosów i pieczywa.

słone

paszteciki mini

SKŁADNIKI
(dla 2 osób)

300 g wątróbki drobiowej

100 g mięsa wieprzowego

100 g mięsa cielęcego

2 jajka

1 czosnek

1 cebula

30–50 g orzechów laskowych

natka pietruszki

40 ml wina czerwonego wytrawnego

masło

ogórki konserwowe

chrzan tarty

kilka pomidorów cherry

Przyprawy Prymat:

kminek mielony

tymianek

chilli pieprz cayenne

sól morska

pieprz czarny mielony

SPOSÓB PRZYGOTOWANIA

- Wątróbkę wrzucamy do blendera i miksujemy. Dodajemy cielęcinę, mięso wieprzowe i ponownie miksujemy.

- Cebulę oraz czosnek kroimy w bardzo drobną kostkę i wsypujemy do dużej miski. Zmiksowane mięso przekładamy do dużego naczynia z cebulą i czosnkiem. Dorzucamy posiekane orzechy laskowe i natkę pietruszki. Doprawiamy do smaku solą, pieprzem, tymiankiem, kminkiem oraz chilli. Do masy wlewamy czerwone wino i dodajemy roztrzepane jajka. Wszystko energicznie mieszamy.

- W piekarniku nagrzanym do 140–150°C przygotowujemy kąpiel wodną. Małe foremki do pasztetów smarujemy masłem, wypełniamy je mięsem i ustawiamy w naczyniu z wodą. Wstawiamy do piekarnika na 3–4 minuty. Po tym czasie wyjmujemy naczynie, przykrywamy je folią aluminiową i ponownie wstawiamy do piekarnika na około 15–20 minut. Paszteciki powinny być z wierzchu lekko przypieczone. Po upływie tego czasu wyjmujemy naczynie z piekarnika i ostrożnie, za pomocą noża, wykrawamy paszteciki z foremek.

PODANIE

- Paszteciki podajemy na talerzu z ogórkami konserwowymi, pomidorkami koktajlowymi i chrzanem tartym.

słone _____

omlet

z szynką parmeńską i parmezanem

SKŁADNIKI
(dla 2 osób)

5 jajek

4 plastry sera parmezan

100 g sera parmezan, startego

100 g szynki parmeńskiej

4–6 plastrów suszonej szynki parmeńskiej

2 szalotki

2 łyżki masła

natka pietruszki

oliwa z oliwek

Przyprawy Prymat:

gałka muszkatołowa

oregano

sól morska

pieprz czarny mielony

SPOSÓB PRZYGOTOWANIA

• Jajka wbijamy do miski i roztrzepujemy. Następnie łączymy je z pokrojoną w cienkie paseczki szynką parmeńską, tartym parmezanem oraz natką pietruszki. Całość doprawiamy lekko solą, pieprzem, gałką muszkatołową oraz oregano i energicznie mieszamy. Na koniec dodajemy szalotki pokrojone w bardzo drobną kostkę.

• Na dobrze rozgrzanej patelni podgrzewamy oliwę z oliwek oraz masło. Następnie wlewamy na tłuszcz mieszankę jajeczną. Delikatnie mieszamy i czekamy, aż omlet się zetnie od spodu. Składamy go na pół, zmniejszamy ogień i pozwalamy omletowi ściąć się również w środku. Wykładamy na talerz.

PODANIE

• Na omlet kładziemy kilka kawałków suszonej szynki parmeńskiej i plastry parmezanu.

Gałka muszkatołowa
Używana jest zarówno do słodkich, jak i pikantnych potraw: pasztetów, ragoût, zapiekanek, ciast, deserów i ponczu. Wyróżnia się ostrym gorzkawym smakiem.

słone

zapiekanka ziemniaczana,

gratin dauphinois tradycyjny

SKŁADNIKI
(dla 4 osób)

1 kg ziemniaków
150 g boczku wędzonego
150 g sera ementaler
około 1 l mleka 2%
400 ml śmietanki 36%
1–2 ząbki czosnku

Przyprawy Prymat:
gałka muszkatołowa
chilli pieprz cayenne
przyprawa
do ziemniaków
sól morska
pieprz czarny mielony

SPOSÓB PRZYGOTOWANIA

• Połowę śmietany i mleko wlewamy do garnka, przyprawiamy solą, pieprzem, gałką muszkatołową, przyprawą do ziemniaków oraz chilli. Całość mieszamy.

• Obrane ziemniaki kroimy w plastry o grubości ok. 3–4 mm i wrzucamy je do garnka ze śmietaną. Mleko ze śmietaną powinno przykryć ziemniaki. Garnek przykrywamy i stawiamy na ogniu, aby ziemniaki grzały się w sosie przez ok. 10–15 minut. Nie gotujemy ziemniaków, a jedynie ogrzewamy – mają pozostać twardawe.

• W tym czasie na rozgrzanej patelni (bez tłuszczu) podsmażamy pokrojony w kostkę boczek. Gdy już będzie gotowy, przekładamy go do innego naczynia.

• Przeciętym ząbkiem czosnku nacieramy dno naczynia żaroodpornego, a następnie czosnek kroimy drobniutko i dodajemy do grzejących się ziemniaków.

• Po 15 min wyjmujemy ziemniaki z garnka i układamy warstwami w naczyniu żaroodpornym. Pomiędzy warstwy ziemniaków wsypujemy smażony boczek. Do pozostałego w garnku sosu dolewamy resztę śmietany, mieszamy i zalewamy ziemniaki. Trochę sosu zostawiamy w garnku – jeśli w trakcie pieczenia zauważymy, że zapiekanka jest zbyt sucha, dolewamy mleczno-śmietanowego sosu. Naczynie żaroodporne przykrywamy folią aluminiową i wstawiamy do piekarnika nagrzanego do 180°C na około 15 minut. Po tym czasie wyjmujemy zapiekankę z piekarnika i sprawdzamy, czy nie jest za sucha. Jeśli jest, wykorzystujemy sos, który został w garnku. Następnie całość zapiekanki posypujemy równomiernie startym serem ementaler i ponownie wstawiamy do piekarnika. Pieczemy tak długo, aż ser się roztopi, równomiernie pokryje ziemniaki i nabierze złocistego koloru (ok. 15–25 min). Wówczas zapiekanka jest gotowa.

słone

placki ziemniaczane,

francuskie pomme de terre darphin

(dla 2 osób)

600 g ziemniaków

30 g suszonych
borowików

masło

olej

liście bazylii

Przyprawy Prymat:

gałka muszkatołowa

pieprz czarny mielony

sól morska

SPOSÓB PRZYGOTOWANIA

• Namoczone grzyby kroimy w cieniutkie paseczki i smażymy 2–3 min na patelni na rozgrzanym oleju, aż będą miękkie. Przyprawiamy solą i pieprzem. Podsmażone grzyby przekładamy do osobnego naczynia i pozostawiamy do ostygnięcia.

• Ziemniaki ścieramy na tarce o grubych oczkach i przekładamy do miski. Przyprawiamy solą, pieprzem czarnym mielonym oraz gałką muszkatołową. Wszystko mieszamy. Na koniec do ziemniaków dodajemy ostudzone grzyby.

• Na patelni rozgrzewamy olej z odrobiną masła, wykładamy połowę masy ziemniaczanej i smażymy 2–3 min, aż się zarumieni, a na wierzchu wytworzy się „skorupa". Po tym czasie odwracamy placek na drugą stronę i dalej smażymy 2–3 minuty. Z pozostałą masą ziemniaczaną robimy tak samo.

• W zależności od grubości placków – można je jeszcze włożyć na około 4 min do piekarnika nagrzanego do temperatury 170–180°C.

PODANIE

• Placki wykładamy na talerz, dekorujemy listkiem świeżej bazylii i podajemy.

słone

rillettes z łososia

SKŁADNIKI
(dla 2 osób).

250 g łososia świeżego

100 g łososia wędzonego

1 kostka miękkiego masła

½ cytryny

szczypiorek

2 łyżeczki śmietany 36%

kilka kromek chleba

kilka pomidorków cherry

kilka listków różnych sałat

olej

Przyprawy Prymat:

przyprawa do ryb

imbir mielony

sól morska

pieprz czarny mielony

SPOSÓB PRZYGOTOWANIA

• Z kawałka surowego łososia odkrawamy skórę i tłuszcz. Następnie układamy go w naczyniu żaroodpornym i przyprawiamy porządnie z obu stron solą, pieprzem, przyprawą do ryb oraz imbirem. Na koniec polewamy odrobiną oleju i wkładamy do piekarnika nagrzanego do temperatury 170–180°C na 13–15 minut.

• W tym czasie z łososia wędzonego odkrawamy skórę. Rybę kroimy w cienkie paski, a następnie bardzo drobno siekamy. Wrzucamy do miski i dosypujemy posiekany szczypiorek.

• Po około 15 min wyjmujemy łososia z piekarnika i przekładamy do innego naczynia. Rozdrabniamy widelcem i dorzucamy do miski z łososiem wędzonym i szczypiorkiem. Wszystko mieszamy. Następnie dodajemy połowę miękkiego masła (jeśli masło jest twarde i trudno się rozprowadza, można dodać odrobinę śmietany) i ponownie wszystko dobrze mieszamy. Jeśli wolimy pastę z większą ilością masła, dodajemy pozostałą połówkę. Pastę doprawiamy do smaku solą, pieprzem i imbirem. Na koniec skrapiamy kilkoma kroplami soku z cytryny.

• Tak powstałą pastę wkładamy na 5 min do lodówki. Po tym czasie wyjmujemy i smarujemy nią kromki chleba.

PODANIE
• Kanapki układamy na talerzach przyozdobionych pomidorkami i sałatą.

słone

ślimaki

z masłem czosnkowym lub sosem śmietanowym

SKŁADNIKI
(dla 2 osób)

Z masłem czosnkowym
w foremkach:

1 puszka ślimaków

3–4 ząbki czosnku

2 szalotki

150 g miękkiego masła

świeża natka pietruszki

olej

Z sosem śmietanowym
i suszonymi pomidorami:

1 puszka ślimaków

3–4 ząbki czosnku

2 szalotki

150 g masła

natka pietruszki

5–6 plasterków
pomidorów suszonych
w oleju

220 ml śmietany 36%

100 ml wina białego
wytrawnego

olej

Przyprawy Prymat:

kminek mielony

pieprz cytrynowy

sól morska

pieprz czarny mielony

SPOSÓB PRZYGOTOWANIA

- Ślimaki z masłem czosnkowym: Ślimaki odcedzamy na sitku, a następnie płuczemy. Na patelni z rozgrzanym olejem podsmażamy jedną posiekaną szalotkę. Gdy lekko się zeszkli, dorzucamy do niej ślimaki. Smażymy razem 3–5 min, przyprawiając solą i pieprzem. Po tym czasie zdejmujemy ślimaki z ognia i czekamy, aż trochę ostygną.

- Czosnek kroimy w małe kawałeczki, drugą szalotkę siekamy, a następnie wrzucamy razem do blendera i miksujemy. Dodajemy posiekaną natkę pietruszki oraz część masła i ponownie dokładnie miksujemy. Masło czosnkowe wkładamy do miseczki, dodajemy resztę zwykłego masła i dokładnie mieszamy, doprawiając do smaku solą, pieprzem i kminkiem mielonym.

- Następnie bierzemy glinianą formę do zapiekania ślimaków (6 dołeczków) i do każdego dołeczka wkładamy ślimaka. Na każdego ślimaka nakładamy łyżeczką masło, tak aby wypełniało dołeczek. Wkładamy do piekarnika nagrzanego do temperatury 180°C i pieczemy do czasu, aż masło się rozpuści i zacznie „bulgotać" (ok. 10 min).

- Po tym czasie wyjmujemy ślimaki z piekarnika i ustawiamy formę na talerzu.

- Ślimaki z sosem śmietanowym i suszonymi pomidorami: Ślimaki odcedzamy na sitku, a następnie płuczemy. Na patelni z rozgrzanym olejem podsmażamy jedną posiekaną szalotkę. Gdy lekko się zeszkli, dorzucamy do niej ślimaki. Smażymy razem 3–5 min, przyprawiając solą i pieprzem.

- Masło czosnkowe przygotowujemy jak w opisie powyżej.

- Do ślimaków na patelnię wlewamy białe wino oraz łyżkę śmietany. Do tak przygotowanego sosu dodajemy powoli masło czosnkowe, delikatnie mieszając. Przyprawiamy pieprzem cytrynowym. Zdejmujemy z ognia (nie dopuszczamy do zagotowania się sosu) i pozwalamy potrawie „dojść". Suszone pomidory wyjmujemy ze słoika, wycieramy z nadmiaru oleju ręcznikiem papierowym.

- Ślimaki z patelni układamy na talerzu, polewamy sosem, na wierzchu kładziemy kilka suszonych pomidorów.

słone _____

nuggetsy z kurczaka

z domowym sosem barbecue

SKŁADNIKI
(dla 2 osób)

Nuggetsy:

2 piersi z kurczaka

2 jajka

bułka tarta Prymat

mąka pszenna tortowa

olej, krem chrzanowy

Domowy sos barbecue:

250 ml bulionu warzywnego

1½ łyżki miodu wielokwiatowego

1 łyżka musztardy delikatesowej Prymat

50 ml koncentratu pomidorowego

2 łyżeczki sosu Worcestershire

10 ml wina czerwonego wytrawnego

1 cebula

1 ząbek czosnku

1 papryka czerwona

oliwa z oliwek

Przyprawy Prymat:

goździki całe

papryka ostra mielona

przyprawa do kurczaka i dań z drobiu

sól morska

pieprz czarny mielony

SPOSÓB PRZYGOTOWANIA

- Domowy sos barbecue: Do rondelka wlewamy oliwę z oliwek, dodajemy pokrojoną w drobną kostkę cebulę i poszatkowany czosnek. Podsmażamy chwilę i dodajemy drobno pokrojoną czerwoną paprykę. Całość mieszamy i smażymy. Po chwili dolewamy wino czerwone, dodajemy miód i koncentrat pomidorowy. Wszystko porządnie mieszamy. Następnie dodajemy 2 łyżki musztardy, sos Worcestershire oraz bulion warzywny. Całość mieszamy i gdy sos się zagotuje, wrzucamy 5–6 goździków. Gotujemy jeszcze ok. 35 minut.

- Po upływie tego czasu przelewamy sos do blendera i miksujemy. Sos wlewamy z powrotem do garnka, doprawiamy szczyptą soli oraz papryką ostrą mieloną. Całość mieszamy.

- Nuggetsy: Piersi z kurczaka drobno siekamy. Przyprawiamy do smaku solą, pieprzem oraz przyprawą do kurczaka. Całość mieszamy. Ręce zwilżamy zimną wodą i z powstałej masy formujemy średniej wielkości kulki. Kulki powinny mieścić się w dłoniach.

- Do miseczki wbijamy 2 jajka i rozkłócamy je widelcem. Na dwóch osobnych talerzach przygotowujemy mąkę i bułkę tartą. Kulki z kurczaka panierujemy, obtaczając je najpierw w mące, następnie w jajku i na koniec w bułce tartej.

- Nuggetsy smażymy z obu stron na patelni na rozgrzanym oleju, aż będą rumiane. Przed podaniem sprawdzamy stopień ich wysmażenia, krojąc jednego nuggetsa na pół.

PODANIE

- Gotowe nuggetsy wykładamy na talerz i podajemy z domowym sosem barbecue oraz kremem chrzanowym.

słone

pieczeń cielęca

z czosnkiem i rozmarynem

SKŁADNIKI
(dla 2 osób)

600 g combra cielęcego

olej

2–3 ząbki czosnku

musztarda sarepska Prymat

chrzan tarty

Przyprawy Prymat:

rozmaryn

majeranek otarty

sól morska

pieprz czarny mielony

SPOSÓB PRZYGOTOWANIA

• Comber cielęcy oczyszczamy z błon i wkładamy do naczynia żaroodpornego.

• Ząbki czosnku kroimy na połowy, miażdżymy lub drobno siekamy. Mięso przyprawiamy z obu stron solą i pieprzem. Następnie posypujemy je rozmarynem z majerankiem i lekko wklepujemy w mięso z obu stron. To samo robimy z rozdrobnionym czosnkiem. Całość polewamy jeszcze raz olejem i wklepujemy w mięso przyprawy. Na patelni rozgrzewamy olej i smażymy cielęcinę przez 4–5 min z obu stron. Następnie zdejmujemy z patelni i przekładamy do naczynia żaroodpornego. Mięso polewamy olejem z patelni i wkładamy do piekarnika nagrzanego do 180–190°C na 7–8 minut.

PODANIE

• Wyjmujemy pieczeń z piekarnika, kroimy w plastry i układamy na talerzu. Pieczeń podajemy z chrzanem i musztardą.

Rozmaryn
Używany jest w stanie świeżym lub suszonym do pieczystego
(razem z tymiankiem i czosnkiem), a także jako dodatek
do marynat, wędlin, ryżu, sałat i zup.

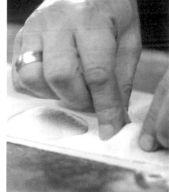

słone

stone ravioli

z łososiem i szpinakiem

SKŁADNIKI
(dla 2 osób)

Ciasto:

100 g mąki pszennej tortowej

100 g semoliny

2 jajka

20 ml oliwy z oliwek

2–3 łyżki wody

Sos beszamelowy:

30 g masła

30 g mąki pszennej tortowej

½ l mleka 2%

Farsz:

150 g świeżego łososia ze skórą

100 g świeżego szpinaku

20 g masła

oliwa z oliwek

Przyprawy Prymat:

papryka słodka mielona

oregano

sól morska

gałka muszkatołowa

SPOSÓB PRZYGOTOWANIA

- Ciasto: Do miski wsypujemy 100 g mąki tortowej, 100 g semoliny, dodajemy łyżeczkę soli i wbijamy jajka. Zagniatając ciasto, wlewamy powoli oliwę z oliwek. Dodajemy mniej więcej 2 łyżki wody. Ciasto powinno być jednolite i elastyczne. Jeśli jest zbyt kleiste, dodajemy mąki pszennej, jeśli jest zbyt twarde, dodajemy wody. Przygotowane ciasto owijamy bawełnianą ściereczką i wkładamy na ok. 1 godz. do lodówki.

- Sos beszamelowy: Bierzemy równą ilość masła i mąki. W garnku rozpuszczamy na małym ogniu 30 g masła. Do masła przesiewamy taką samą ilość mąki pszennej i mieszamy ok. ½ min do połączenia składników. Ważne, aby mąka się nie przyrumieniła. Zasmażkę przekładamy do miseczki. Do tego samego garnka wlewamy niecałe ½ l mleka. Gdy mleko się zagotuje, dodajemy przygotowane masło z mąką, odrobinę soli oraz gałkę muszkatołową i mieszamy energicznie, aż sos zgęstnieje. Gotowy sos przelewamy do miseczki i odstawiamy na później.

- Farsz: Zdejmujemy skórę z łososia, a rybę kroimy w kostkę. Na rozgrzanej patelni rozpuszczamy ok. 10 g masła, dodajemy pokrojonego łososia i delikatnie solimy. Gdy łosoś jest jeszcze lekko różowy, przekładamy go z patelni na talerz, rozdrabniamy i zostawiamy do wystygnięcia.

- Na mocno rozgrzanej patelni rozpuszczamy ok. 10 g masła i smażymy szpinak. Szpinak odsączamy na sitku, aby farsz nie był zbyt tłusty. Szpinak kroimy i mieszamy z łososiem. Doprawiamy do smaku oregano, papryką słodką i 2–3 łyżeczkami sosu beszamelowego.

- Ciasto dzielimy na 2 równe części i cienko rozwałkowujemy. Na jednej części układamy co 2–3 cm po 1 łyżeczce farszu. Gdy ułożymy już cały farsz, przykrywamy go drugą częścią ciasta. Dociskamy miejsca, w których nie ma farszu. Ravioli wycinamy nożem lub radełkiem. Oprószamy pierożki mąką i wstawiamy do lodówki na kilka minut. Ravioli gotujemy al dente w osolonej wodzie przez 3–4 minuty.

PODANIE

- Ugotowane ravioli polewamy oliwą z oliwek, dekorujemy listkami świeżej bazylii i podajemy.

zupa krem z cukinii

z cienkim makaronem

SKŁADNIKI
(dla 2 osób)

2–3 średnie cukinie

3 ziemniaki

60 g masła

1 l wody

2 łyżki śmietany 36%

50–60 g makaronu nitki

1 kostka rosołowa z kury

Przyprawy Prymat:
tymianek otarty
liść laurowy
sól morska
pieprz czarny mielony

SPOSÓB PRZYGOTOWANIA

• Umyte warzywa kroimy w kostkę o boku ok. 1½ centymetra.

• W dużym garnku rozpuszczamy masło i dusimy cukinię. Gdy cukinia lekko zmięknie, dodajemy ziemniaki i zalewamy zimną wodą, tak aby jej poziom był ok. 1 cm ponad warzywami. Doprawiamy odrobiną soli, pieprzem, tymiankiem oraz liściem laurowym. Gotujemy pod przykryciem 10–15 min na ostrym ogniu. Po tym czasie zmniejszamy ogień, a do wywaru wrzucamy 1 kostkę rosołową i mieszamy.

• Zupę przelewamy do pojemnika, miksujemy do uzyskania jednolitej konsystencji i zabielamy śmietaną. Do kremu wsypujemy suchy makaron, przelewamy do garnka i gotujemy na małym ogniu, aż makaron będzie gotowy.

PODANIE

• Gorącą zupę przelewamy do miseczek i podajemy.

Tymianek
Świeże lub suszone listki stosuje się do różnych potraw kuchni śródziemnomorskiej.
Najczęściej stosowana przyprawa w kuchni francuskiej.

słone

sałatka

z wątróbką drobiową i octem malinowym

SKŁADNIKI
(dla 2 osób)

250 g wątróbek drobiowych

olej

olej rzepakowy

masło

1 sałata rzymska

2 szalotki

5 pomidorów cherry

75 g orzechów włoskich

100 ml octu malinowego

Przyprawy Prymat:

zioła prowansalskie

natka pietruszki suszona

sól morska

pieprz czarny mielony

SPOSÓB PRZYGOTOWANIA

• Z umytej sałaty rzymskiej odkładamy 2–3 liście do dekoracji, resztę grubo kroimy.

• Na patelni rozgrzewamy olej zwykły z olejem rzepakowym oraz masłem. Wątróbkę doprawiamy z dwóch stron solą i pieprzem, wrzucamy na mocno rozgrzaną patelnię. Wszystkie kawałki wątróbki staramy się włożyć w tym samym czasie, aby równo się wysmażyły. Po chwili zmniejszamy ogień i smażymy jeszcze chwilę, przyprawiając ziołami prowansalskimi i suszoną natką pietruszki. Gdy wątróbka osiągnie nasz ulubiony stopień wysmażenia, zdejmujemy ją z patelni i odkładamy na talerz. Na pozostałym tłuszczu smażymy pokrojone w piórka szalotki. Po chwili wrzucamy całe pomidorki cherry, następnie rozdrobnione orzechy włoskie i całość lekko doprawiamy ziołami prowansalskimi. Pomidorki cherry delikatnie nakłuwamy nożem – w czasie smażenia skórka pęknie w tym miejscu, co da ciekawy efekt dekoracyjny. Na koniec dolewamy ocet malinowy i dodajemy odrobinę masła, które złagodzi i zagęści sos. Do tak przygotowanego sosu wrzucamy na ½ min wątróbki i całość chwilę podgrzewamy na bardzo małym ogniu.

PODANIE

• Na talerze nakładamy wcześniej odłożone liście sałaty. Na nich układamy pokrojoną sałatę, wykładamy wątróbki i pozostałe składniki.

Pietruszka
Silnie pachnąca nać służy do przyprawiania niemal wszystkiego. Gładkolistna pietruszka jest intensywniejsza w smaku od karbowanej.

101

słone

lasagne warzywna,

batoniki z kurczaka oraz domowy ketchup

SKŁADNIKI
(dla 2 osób)

Domowy ketchup:

3 pomidory

2 łyżeczki octu

cukier

olej

Lasagne warzywna:

1 marchewka

1 cukinia

1 ziemniak

1 bakłażan

2 jajka

125 ml mleka 2%

125 ml śmietany 36%

olej, masło

Batoniki z kurczaka:

1 pierś z kurczaka

1 jajko

olej, masło

bułka tarta Prymat

Przyprawy Prymat:

gałka muszkatołowa mielona

sól morska

pieprz czarny mielony

przyprawa do kurczaka

kminek mielony

cynamon mielony

SPOSÓB PRZYGOTOWANIA

- Domowy ketchup: Pomidory drobno kroimy. Kilka kawałków zostawiamy do dekoracji, resztę dusimy na patelni na odrobinie rozgrzanego oleju. Po ok. 4–5 min wlewamy odrobinę octu i dodajemy do smaku cynamonu, cukru oraz kminku. Gdy pomidory będą miękkie i zaczną się rozpadać, przecieramy je przez sito i przekładamy do miseczek.

- Lasagne warzywna: Warzywa kroimy w plasterki o grubości ½ cm (bakłażan wcześniej obieramy ze skórki).

- W lekko osolonej wodzie gotujemy na pół miękko marchewki. Po wyjęciu wrzucamy je od razu do miseczki z zimną wodą. Tak samo postępujemy z ziemniakami, a następnie z cukinią.

- Do oddzielnej miseczki wbijamy jajka i roztrzepujemy je widelcem. Dodajemy śmietanę oraz mleko, doprawiamy do smaku solą, pieprzem i gałką muszkatołową.

- Ugotowane warzywa układamy w posmarowanych olejem foremkach do zapiekania i polewamy kilkoma łyżkami sosu śmietanowego. Do podłużnego naczynia żaroodpornego wlewamy wodę i wstawiamy je do piekarnika nagrzanego do 180–190°C. Gdy woda w naczyniu będzie gorąca, wstawiamy do niego foremki z lasagne (woda powinna sięgać mniej więcej do połowy wysokości foremek) i zapiekamy dalej w kąpieli wodnej przez co najmniej 15 minut.

- Na lekko rozgrzanej patelni na oleju z masłem smażymy z dwóch stron plasterki bakłażana.

- Batoniki z kurczaka: Pierś z kurczaka przecinamy na pół i kroimy w paseczki o grubości ok. 1 centymetra. Następnie posypujemy przyprawą do kurczaka, doprawiamy do smaku solą oraz pieprzem i panierujemy w jajku i bułce tartej. Kawałki kurczaka smażymy na rozgrzanej patelni na oleju z odrobiną masła.

- Upieczoną lasagne podajemy udekorowaną plasterkiem bakłażana. Obok układamy batoniki z kurczaka. Podajemy z domowym ketchupem.

zupa z ryb

słodkowodnych z szafranem

SKŁADNIKI

(dla 2 osób)

100 g pstrąga

100 g szczupaka

100 g barramundi

1 cebula

1 por

1 seler naciowy

1 marchewka

10 ml wina białego wytrawnego

woda

olej

świeży koperek

Przyprawy Prymat:

goździki całe

gałka muszkatołowa mielona

ziele angielskie

szafran nitki

pieprz czarny mielony

sól morska

SPOSÓB PRZYGOTOWANIA

• Ryby oczyszczamy z łusek i ości. Ości odkładamy na bok, a filety rybne kroimy w poprzek na paski o boku ok. 3 centymetrów. Pamiętajmy, że cienkie filety kroimy na większe kawałki (np. pstrąg), a grubsze, takie jak szczupak, na mniejsze. Kawałki ryb delikatnie przyprawiamy solą i odkładamy.

• Por, seler i cebulę kroimy w drobną kostkę i podsmażamy w garnku na odrobinie oleju. Do podsmażonych warzyw wrzucamy ości, mieszamy i całość chwilę smażymy. Następnie dolewamy białe wino. Gdy całość zacznie się gotować, dolewamy wody – ponad wysokość warzyw. Doprawiamy do smaku pieprzem, solą, gałką muszkatołową, dodajemy 3 goździki i kilka ziaren ziela angielskiego. Gotujemy jeszcze ok. 20 min, po czym przecedzamy zupę przez sito. Pozostały wywar stawiamy na małym ogniu, wrzucamy do niego marchewkę pokrojoną w ukośne plasterki. Gdy marchewka będzie al dente, dodajemy kawałki szczupaka oraz barramundi i jeszcze chwilę gotujemy. Na koniec wrzucamy kawałki pstrąga i odrobinę szafranu, który nada piękny kolor zupie. Gotujemy jeszcze ok. 1½ minuty.

PODANIE

• Zupę podajemy udekorowaną świeżym koperkiem.

Szafran
Używany jest do ryżu i ciast (nadaje im żółtą barwę),
a także do ryb. Najlepsze są znamiona w całości (nitki).

słone _____

grzyby po prowansalsku

SKŁADNIKI
(dla 2 osób)

½ kg grzybów: kurki, kolczaki

20 g masła

olej

oliwa z oliwek

Sos prowansalski:

1 szalotka

4 ząbki czosnku

10 g masła

1 pomidor

natka pietruszki

40 ml wina białego wytrawnego

4 pomidory cherry

Przyprawy Prymat:

gałka muszkatołowa

tymianek otarty

sól morska

pieprz kolorowy

SPOSÓB PRZYGOTOWANIA

- Grzyby: Oczyszczone grzyby kroimy w średnie kawałki. Przygotowujemy dwie patelnie: na jednej podgrzewamy oliwę z oliwek, na drugiej olej z odrobiną masła. Na bardzo gorącą oliwę wrzucamy kolczaki i przyprawiamy do smaku solą oraz pieprzem kolorowym. Gdy grzyby puszczą wodę, przekładamy je na patelnię z rozgrzanym olejem i masłem. Tak samo postępujemy z kurkami. Wrzucamy je na rozgrzaną oliwę, przyprawiamy solą i pieprzem kolorowym, a gdy puszczą wodę, przekładamy je na drugą patelnię do smażących się kolczaków i mieszamy. Całość chwilę smażymy, a następnie przekładamy grzyby do durszlaka, by je odcedzić.

- Zamiast kolczaków możemy użyć borowików.

- Sos prowansalski: Szalotkę kroimy w bardzo drobną kostkę, czosnek rozgniatamy nożem i drobno siekamy. Wrzucamy na lekko rozgrzaną na patelni oliwę z oliwek i smażymy chwilę na małym ogniu. Dodajemy natkę pietruszki, pokrojony w średnie kawałki pomidor oraz gałkę muszkatołową i tymianek. Dla smaku możemy dolać odrobinę białego wina. Zmniejszamy ogień i podsmażamy, aby wino odparowało. Następnie zdejmujemy patelnię z ognia i do powstałego sosu dorzucamy odrobinę masła, które zagęści sos. Wszystko mieszamy, aż masło się rozpuści. Patelnię stawiamy z powrotem na ogniu i wrzucamy grzyby. Dodajemy pokrojone na ćwiartki pomidorki cherry. Zwiększamy nieco ogień i smażymy jeszcze 3–4 minuty.

PODANIE
- Gotowe danie przekładamy na talerze, dekorujemy świeżą natką pietruszki i podajemy.

słone

cielęcina

w roladzie cordon bleu z szynką i żółtym serem

SKŁADNIKI
(dla 2 osób)

300 g udźca cielęcego

4 plastry szynki gotowanej

4 plastry sera ementaler

oliwa z oliwek

30 g masła

2–3 pomidory cherry

Panierka:

bułka tarta Prymat

1 jajko

Przyprawy Prymat:

pieprz czarny mielony

pieprz czarny ziarnisty

kolendra

sól morska

SPOSÓB PRZYGOTOWANIA

• Udziec kroimy w plastry, układamy na desce, przykrywamy folią spożywczą i rozbijamy. Tak przygotowane mięso oprószamy solą, czarnym pieprzem i szczyptą kolendry. Następnie na mięsie układamy po cienkim plasterku szynki gotowanej i żółtego sera. Cielęcinę składamy na pół, przykrywamy folią spożywczą i ponownie rozbijamy.

• Panierka: Na dwóch osobnych talerzach przygotowujemy roztrzepane jajko i bułkę tartą na panierkę. Rolady panierujemy z obu stron, najpierw w jajku, a potem w bułce tartej. Smażymy na rozgrzanej na patelni oliwie z odrobiną masła przez 2–3 min z każdej strony, a następnie przekładamy do naczynia żaroodpornego. Naczynie wstawiamy do piekarnika nagrzanego do 180–190°C na 2½ minuty. Po tym czasie obracamy roladki na drugą stronę i pieczemy przez kolejne 2–2½ minuty.

PODANIE

• Gotowe roladki układamy na talerzu, obok układamy 2–3 pomidory cherry i listki świeżej bazylii. Całość oprószamy świeżo zmielonym czarnym pieprzem i podajemy.

Kolendra

Jest popularnym składnikiem potraw kuchni południowo-wschodniej Azji, a także chińskiej, indyjskiej, meksykańskiej, gruzińskiej, marokańskiej oraz portugalskiej. Wykorzystuje się liście w postaci świeżej i suszonej oraz nasiona.

słone

kaczka confit

po francusku

SKŁADNIKI
(dla 4 osób)

1 kaczka cała

2 kg smalcu z kaczki

1 cebula

1 czosnek

kilka liści sałaty karbowanej

Przyprawy Prymat:

ziele angielskie całe

goździki całe

liść laurowy

sól morska

pieprz czarny mielony

SPOSÓB PRZYGOTOWANIA

• Kaczkę kroimy na kawałki tak, by otrzymać 2 piersi i 2 udka. Do roztopionego w dużym garnku smalcu wrzucamy czosnek, liście laurowe, 5 ziarenek ziela angielskiego, 2–3 goździki i pokrojoną na 8 kawałków cebulę. Smalec rozgrzewamy do 80–90°C.

• Na patelnię wlewamy odrobinę roztopionego smalcu i układamy kawałki kaczki. Mięso oprószamy pieprzem oraz solą i smażymy na średnim ogniu aż do przyrumienienia. Następnie kawałki kaczki przekładamy do garnka z ciepłym smalcem i dusimy przez 1½–2 godziny.

• Po tym czasie rozgrzewamy na patelni trochę smalcu wyjętego z garnka i podsmażamy na nim kawałki kaczki, by uzyskać chrupiącą skórkę.

PODANIE

• Kaczkę podajemy na liściach sałaty.

Ziele angielskie
Ma przyjemny aromat i ostry gorzkawy smak.
Najczęściej stosowane jest do przyprawiania zup, gulaszy, potraw curry, ciemnych sosów, marynat. Nadaje subtelny korzenny aromat dżemom i wyrobom cukierniczym.
Dobrze komponuje się z innymi przyprawami.

słone

kasza quinoa

z pieczarkami i parmezanem

SKŁADNIKI
(dla 2 osób)

200 g kaszy quinoa

30 g masła

olej

80–100 ml
śmietany 36%

100 g pieczarek

50 g parmezanu

1 pomidorek cherry
do dekoracji

Przyprawy Prymat:

oregano

kolendra

sól morska

pieprz czarny mielony

SPOSÓB PRZYGOTOWANIA

- Kaszę wrzucamy do garnka z osoloną wrzącą wodą i gotujemy ok. 15 minut. Po tym czasie odcedzamy.

- Pokrojone w cienkie plastry pieczarki chwilę smażymy na rozgrzanym na patelni oleju z masłem. Przyprawiamy do smaku solą, pieprzem, kolendrą i oregano. Gdy pieczarki zaczną puszczać wodę, zdejmujemy je z patelni i wykładamy na durszlak, aby woda odciekła.

- Tak przygotowane pieczarki ponownie wkładamy na lekko rozgrzaną patelnię, jeszcze chwilę podsmażamy i zalewamy 80 ml śmietany. Całość podgrzewamy, od czasu do czasu mieszając, aż śmietana zgęstnieje. Do pieczarek dodajemy ugotowaną kaszę. Jeśli uznamy, że danie jest zbyt gęste, możemy je rozrzedzić, dolewając odrobinę śmietany.

PODANIE

- Kaszę przekładamy na talerze i dekorujemy plasterkami pomidorków cherry ułożonymi w wachlarz. Całość posypujemy startym parmezanem.

Quinoa, komosa ryzowa
Nazywana jest także złotem Inków.
Jest bardzo wartościowym źródłem
białka i nie zawiera glutenu.

słone

szpecle alzackie

z warzywami

SKŁADNIKI
(dla 2 osób)
1 marchewka
1 por
1 cukinia
30 g masła
oliwa z oliwek

Ciasto:
200 g mąki pszennej
2 jajka
woda

Przyprawy Prymat:
zioła prowansalskie
oregano
pieprz czarny mielony
sól morska

SPOSÓB PRZYGOTOWANIA

- Cukinię, marchewkę i por kroimy w cieniutkie paseczki o podobnej długości. Na patelni rozgrzewamy 20 g masła i odrobiną oliwy z oliwek. Najpierw smażymy paseczki marchewki, a następnie por i przyprawiamy solą oraz pieprzem. Na koniec dodajemy paseczki cukinii i całość doprawiamy szczyptą ziół prowansalskich oraz oregano. Wszystko podsmażamy przez 5–7 min, dolewając odrobinę wody, żeby warzywa się nie spaliły, a były chrupkie i smaczne. Zmniejszamy ogień i smażymy, aż woda odparuje. Wówczas warzywa będą gotowe.

- Ciasto: Do dużego naczynia wsypujemy mąkę, wbijamy 2 jajka i mieszamy drewnianą łopatką. Stopniowo dolewamy ok. 70 ml wody, cały czas energicznie mieszając, aż do uzyskania rzadkiej, gładkiej masy. Jeśli ciasto jest gęste, dodajemy odrobinę wody.

- Gotowe ciasto rozsmarowujemy na deseczce do krojenia lub płaskim talerzyku i odcinamy nożem kawałki wprost do garnka z gotującą się, osoloną wodą. Po ok. 3 min gotowania, gdy szpecle zaczynają wypływać na powierzchnię, wyławiamy je, odcedzamy i odkładamy do osobnego naczynia.

- Na patelnię z warzywami dorzucamy resztę masła i rozpuszczamy je na małym ogniu. Następnie wrzucamy ugotowane szpecle i wszystko ze sobą mieszamy. Możemy ponownie doprawić do smaku solą i pieprzem.

PODANIE

- Danie wykładamy na talerze, dekorujemy listkiem bazylii i podajemy.

słone _____

omlet francuski

i tosty z pastą pomidorową

SKŁADNIKI

(dla 1 osoby)

Pasta pomidorowa:

2 pomidory

cukier

Tosty:

kilka kromek pieczywa tostowego

2–3 płatki suszonych pomidorów w oleju

Omlet:

4 jajka

50 g masła

100 g sera żółtego ementaler

olej

oliwa z oliwek

Przyprawy Prymat:

tymianek

kminek mielony

sól morska

pieprz czarny mielony

SPOSÓB PRZYGOTOWANIA

• Pasta pomidorowa: Obrane ze skórki pomidory kroimy w ćwiartki i usuwamy z nich środek z gniazdami nasiennymi. Tak powstałe „łupinki" z miąższu kroimy w drobną kostkę i podsmażamy na odrobinie oleju. Doprawiamy do smaku solą, pieprzem, cukrem, kminkiem mielonym i tymiankiem. Usmażone pomidory ugniatamy lekko łyżką, żeby powstała pasta. Całość jeszcze chwilę podsmażamy i przekładamy do miseczki, by pasta ostygła.

• Tosty: Z kromek pieczywa tostowego odkrawamy skórki i pozostałą część wkładamy na kilka minut do ciepłego piekarnika. Tosty powinny być zrumienione i lekko chrupiące (nie przypieczone jak grzanki).

• Omlet: Do miski wbijamy 4 jajka, przyprawiamy odrobiną soli oraz pieprzu. Całość dokładnie roztrzepujemy widelcem. Dosypujemy tarty ser i mieszamy. Na patelnię z odrobiną oleju i masła wlewamy jajka i cały czas delikatnie mieszamy, aby nie przywarły do patelni. Gdy jajka się zetną, a spód będzie lekko przyrumieniony, zsuwamy omlet z patelni na talerz, zawijając go.

PODANIE

• Ciepłe tosty przekrawamy na pół, tak aby powstały trójkąty. Każdy trójkąt smarujemy przestudzoną pastą pomidorową. Układamy na talerzu obok omleta i skrapiamy oliwą z oliwek. Na wierzchu tostów układamy pokrojone w paski suszone pomidory. Całość dekorujemy listkiem bazylii i podajemy.

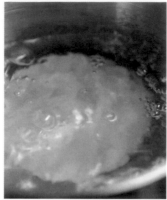

słone

lasagne bolognese

SKŁADNIKI
(dla 2 osób)

Lasagne:

½ kg mielonej wołowiny

1 pomidor

1 puszka pomidorów pelati

1 marchewka

1 czosnek

1 cebula

1 ostra papryka

20 ml wina czerwonego wytrawnego

tarty parmezan

oliwa z oliwek

Ciasto:

100 g semoliny

100 g mąki pszennej tortowej

2 jajka

oliwa z oliwek

Przyprawy Prymat:

tymianek

liść laurowy

przyprawa do mięsa mielonego

sól morska

pieprz czarny mielony

SPOSÓB PRZYGOTOWANIA

- Ciasto: Podane składniki wymieszać i wyrobić ciasto.

- Lasagne: Cebulę i marchewkę kroimy w drobną kostkę, a czosnek w cienkie plasterki. W rondelku na rozgrzanej oliwie podsmażamy cebulę i marchew. Po chwili dorzucamy czosnek. Następnie dodajemy mielone mięso i całość dokładnie mieszamy. Doprawiamy solą, pieprzem, tymiankiem, szczyptą przyprawy do mięsa mielonego i 2 liśćmi laurowymi. Dodajemy pokrojone pomidory pelati oraz obrany ze skóry i pokrojony w kostkę pomidor. Dolewamy wino czerwone i zmniejszamy ogień, pozwalając potrawie gotować się przez pół godziny.

- W tym czasie ciasto układamy na płaskiej powierzchni i wycinamy z niego koła, pomagając sobie np. formą do tortu.

- Do garnka z wrzącą posoloną wodą wrzucamy po 2 koła i gotujemy 3–4 minuty. Po tym czasie wyjmujemy je z wrzątku i wrzucamy do miski z zimną wodą, by przerwać gotowanie. Następnie ostudzone wykładamy na talerz. Tę samą czynność wykonujemy z kolejnymi makaronowymi kołami. Do wykonania 2 porcji lasagne będziemy potrzebować 6 makaronowych kółek.

- Żaroodporne naczynie wykładamy papierem do pieczenia, który smarujemy odrobiną oliwy z oliwek. Ustawiamy w nim obręcz tortownicy, z pomocą której wykroiliśmy koła. Ugotowane makaronowe koła układamy wewnątrz obręczy na papierze i wykładamy na nie farsz. Następnie posypujemy tartym parmezanem. Czynności te powtarzamy, tworząc trzy warstwy. Drugą porcję przygotowujemy tak samo. Lasagne wkładamy w odkrytym naczyniu do piekarnika nagrzanego do 180°C ustawionego na funkcję grill na 3–4 minuty.

PODANIE

- Wyjmujemy lasagne z piekarnika i rozkładamy na talerze. Talerze dekorujemy ostrą papryczką i listkiem bazylii.

słone

hiszpańska zupa puchero

SKŁADNIKI
(dla 2 osób)

200 g pręgi wołowej

1 udko kurczaka

150 g słoniny

1 cebula

1 seler naciowy

1 por

1 pietruszka

100 g fasolki szparagowej

2 ziemniaki

100 g cieciorki

1 kostka rosołowa z kury

natka pietruszki

Przyprawy Prymat:

liść laurowy

goździki całe

ziele angielskie całe

sól morska

pieprz czarny mielony

SPOSÓB PRZYGOTOWANIA

- Cieciorkę zalewamy wodą i pozostawiamy do namoczenia na całą noc.

- Udko z kurczaka i pręgę wołową wkładamy do garnka, zalewamy zimną wodą i doprowadzamy do wrzenia. Mięso gotujemy w wodzie ok. 5 minut. Wyjmujemy mięso, wylewamy wodę, płuczemy garnek i ponownie wkładamy mięso do garnka i zalewamy je czystą zimną wodą.

- Przygotowujemy włoszczyznę. W tym celu zawijamy w kawałki pora seler naciowy, natkę pietruszki oraz liść laurowy. Wszystko dokładnie obwiązujemy nitką i wrzucamy do garnka tak, żeby część nitki wystawała poza garnek – dzięki temu będzie nam później łatwiej wyciągnąć włoszczyznę z zupy. Następnie wrzucamy do garnka pokrojoną w duże kawałki cebulę. Dodajemy 4 ziarenka ziela angielskiego, kilka goździków, kostkę rosołową i kawałek słoniny. Gotujemy zupę przez co najmniej 1 godzinę. Kurczak ugotuje się szybciej, więc wyjmujemy go wcześniej, pozostawiając w zupie pręgę do dalszego gotowania.

- Gdy zupa się gotuje, przygotowujemy fasolkę szparagową. Do rondelka wlewamy wodę i mocno ją solimy. Gdy woda zacznie wrzeć, wrzucamy fasolkę i gotujemy ok. 5 min, by była al dente. Po tym czasie odcedzamy i odkładamy do innego naczynia.

- 20 minut przed końcem gotowania wyjmujemy z zupy włoszczyznę, a dodajemy namoczoną cieciorkę oraz pokrojone w grubą kostkę ziemniaki, seler oraz pietruszkę.

- Gdy pręga wołowa będzie ugotowana, wyjmujemy ją z zupy. Kroimy mięso – kurczaka w kawałki, a pręgę w plasterki o szerokości ok. 1 cm i wrzucamy z powrotem do zupy razem z fasolką szparagową.

PODANIE

- Czekamy, aż wszystkie składniki się zagrzeją i podajemy zupę. W każdej porcji powinien znaleźć się kawałek kurczaka oraz pręgi. Zupę posypujemy drobno pokrojoną natką pietruszki.

słone

zapiekanka michelska

stone

SKŁADNIKI
(dla 2 osób)

1 bagietka

50 g keczupu

80 g szynki gotowanej

80 g sera gruyère
lub ementaler

150 g pieczarek

1 pomidor

ogórki konserwowe

1 sałata karbowana

sok cytrynowy

olej

musztarda sarepska
Prymat

Przyprawy Prymat:

tymianek

zioła prowansalskie

sól morska

pieprz czarny mielony

SPOSÓB PRZYGOTOWANIA

• Pieczarki kroimy na pół, a następnie na niezbyt cienkie plasterki i skrapiamy sokiem cytrynowym. Smażymy do zrumienienia na patelni na dobrze rozgrzanym oleju. Przyprawiamy do smaku solą, pieprzem, ziołami prowansalskimi oraz tymiankiem. Przekładamy do innego naczynia i odstawiamy.

• Bagietkę kroimy najpierw w poprzek, a następnie wzdłuż na pół. Kawałki bagietki układamy w naczyniu żaroodpornym. Smarujemy po wewnętrznej stronie musztardą sarepską, następnie układamy kawałki sałaty, cienkie plasterki gotowanej szynki, ogórka i pomidora. Na pomidora wykładamy podsmażone wcześniej pieczarki i smarujemy keczupem (wedle uznania). Na wierzch dajemy żółty ser: starty lub w plasterkach (wedle uznania). Całość wkładamy do piekarnika nagrzanego do temperatury ok. 180°C i zapiekamy.

PODANIE

• Gdy ser się rozpuści, a bagietka zarumieni, wyjmujemy zapiekanki z piekarnika, przekładamy na talerze, dekorujemy listkami bazylii i podajemy.

słone

kapusta faszerowana

SKŁADNIKI

(dla 2 osób)

1 kapusta włoska

musztarda rosyjska Prymat

olej

Farsz:

150 g mielonej
wieprzowiny
z dodatkiem boczku

150 g mielonej cielęciny

1 całe jajko

1 żółtko

3 łyżki bułki tartej Prymat

1 ząbek czosnku

Wywar:

1 marchewka

1 por

1 cebula

natka pietruszki

1 ząbek czosnku

1 kostka bulionu
warzywnego

Sos pomidorowy:

4 pomidory

1 cebula, szczypta cukru

Przyprawy Prymat:
kminek cały, tymianek
liść laurowy, sól morska
pieprz czarny mielony

SPOSÓB PRZYGOTOWANIA

• Wybieramy największe liście kapuściane i wrzucamy do mocno osolonej wrzącej wody. Po ok. 2 min przekładamy je do naczynia z bardzo zimną wodą. Dzięki temu podczas pieczenia zachowają świeży zielony kolor.

• Farsz: Do miski wkładamy mielone mięso. Wbijamy 1 całe jajko i 1 żółtko, przyprawiamy solą, pieprzem oraz kminkiem i wszystko dokładnie mieszamy. Na koniec dodajemy drobno poszatkowany ząbek czosnku, posypujemy kilkoma szczyptami bułki tartej i ponownie mieszamy. Przygotowane wcześniej liście kapusty faszerujemy mięsem, zawijamy i obwiązujemy sznurkiem, aby nie rozpadły się podczas pieczenia. Faszerowaną kapustę układamy w naczyniu żaroodpornym.

• Wywar warzywny: Marchewkę, por oraz cebulę kroimy w średniej wielkości kostkę, natkę pietruszki szatkujemy, 1 ząbek czosnku miażdżymy lub kroimy w drobną kostkę. Wszystkie składniki wrzucamy do garnka z odrobiną oleju. Podsmażamy przez 2½ min, po czym zalewamy zimną wodą tak, aby była ok. 1 cm ponad warzywami. Gdy woda zacznie wrzeć, dodajemy kostkę bulionu warzywnego i pozostawiamy całość do zagotowania.

• Wywarem warzywnym zalewamy faszerowaną kapustę w naczyniu żaroodpornym. Całość wstawiamy do piekarnika i pieczemy w temperaturze 160–180°C przez nieco ponad ½ godziny.

• Sos pomidorowy: Na patelni z odrobiną oleju podsmażamy cienkie piórka cebuli, po chwili dodajemy obrane i pokrojone w drobną kostkę pomidory. Doprawiamy tymiankiem, liściem laurowym, solą, pieprzem i odrobiną cukru. Całość dusimy, aż lekko zgęstnieje.

PODANIE

• Z faszerowanych kapust zdejmujemy sznurek i układamy je na patelni w gorącym sosie pomidorowym, polewając je sosem również od góry. Gdy całość się zagrzeje, danie wykładamy na talerze i podajemy z odrobiną musztardy.

słone

świeże mule

z krewetkami w sosie śmietanowym

SKŁADNIKI

1 kg świeżych małży (omułków)

200 g parzonych krewetek

200 g pieczarek

1 cebula

2–3 ząbki czosnku

natka pietruszki

40 ml wina białego wytrawnego

200 ml śmietany 36%

30 g masła

olej

Przyprawy Prymat:

pieprz cytrynowy

kolendra cała

SPOSÓB PRZYGOTOWANIA

• Czosnek i cebulę siekamy w bardzo drobną kosteczkę i podsmażamy w garnku na odrobinie oleju. Gdy cebula lekko się zeszkli, wrzucamy do garnka całe, oczyszczone małże i przykrywamy pokrywką. Po chwili dolewamy białego wina i czekamy, aż pod wpływem ciepła i pary małże się otworzą. Powinno to nastąpić po ok. 3–4 minutach.

• Po tym czasie przelewamy zawartość garnka przez sitko, aby odcedzić małże od wywaru. Małże otwieramy, wyjmujemy z nich mięso i odkładamy je do miseczki. Kilka nieobranych muli możemy zostawić do dekoracji. Wywar wlewamy ponownie do garnka i gotujemy, żeby odparował (mniej więcej do połowy objętości). Następnie dolewamy śmietanę, doprawiamy do smaku kolendrą, pieprzem cytrynowym i całość jeszcze chwilę gotujemy. Na koniec zmniejszamy ogień i dodajemy stopniowo kawałki masła, cały czas mieszając.

• W tym czasie pieczarki kroimy w dość grubą kostkę i podsmażamy na patelni z odrobiną oleju. Krewetki pozbawiamy pancerzy i odkładamy.

• Gdy sos śmietanowy się zagęści, wrzucamy do niego małże, krewetki i drobno posiekaną natkę pietruszki. Wszystko mieszamy. Na koniec dodajemy usmażone pieczarki i podgrzewamy.

PODANIE

• Danie podajemy w miseczkach ozdobionych muszelkami małży oraz świeżą natką pietruszki.

Pieprz cytrynowy
Jest to aromatyczna mieszanka pieprzu czarnego mielonego i startej skórki cytrynowej.

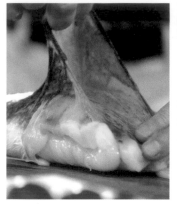

słone

pieczona żabnica

z ratatouille

SKŁADNIKI
(dla 2 osób)

600 g żabnicy

Sos ratatouille:

5 pomidorów cherry

1 cukinia

1 bakłażan

1 cebula

2 ząbki czosnku

1 papryka czerwona

50 g oliwek czarnych

50 g oliwek zielonych

100 ml sosu pomidorowego

oliwa z oliwek

Przyprawy Prymat:

zioła prowansalskie

oregano

tymianek

liść laurowy

sól morska

pieprz czarny mielony

SPOSÓB PRZYGOTOWANIA

- Rybę czyścimy, usuwamy kręgosłup i rozkrawamy wzdłuż na pół. Zdejmujemy skórę i pozostałe błony, a powstałe filety kroimy na dwie części.

- Żabnicę przyprawiamy solą, pieprzem, oregano oraz ziołami prowansalskimi. Następnie podsmażamy na rozgrzanej oliwie z oliwek po 2–3 min z każdej strony. Po podsmażeniu kawałki żabnicy o podobnej grubości (te większe) układamy w naczyniu żaroodpornym.

- Sos ratatouille: Cebulę, czosnek, paprykę, cukinię i bakłażan kroimy w kostkę. W garnku podgrzewamy odrobinę oliwy z oliwek. Wrzucamy cebulę, czosnek, paprykę i bakłażan. Całość mieszamy i smażymy. Po kilku minutach dodajemy cukinię. Całość doprawiamy solą, pieprzem, tymiankiem i dwoma listkami laurowymi. Mieszamy. Po chwili dodajemy pomidorki cherry przekrojone na połówki. Wlewamy sos pomidorowy i wszystko ze sobą mieszamy. Smażymy kilka minut, pilnując, by warzywa zostały jędrne. Tuż przed podaniem do ratatouille dodajemy pokrojone czarne i zielone oliwki.

- Grubsze kawałki żabnicy w naczyniu żaroodpornym wstawiamy do piekarnika nagrzanego do 160–170°C. Pieczemy ok. 3 minut. Po tym czasie przekładamy rybę na drugą stronę i dodajemy pozostałe dwa, cieńsze, kawałki. Pieczemy kolejne 3 minuty.

PODANIE

- Sos warzywny wykładamy na talerze, na nim układamy kawałki żabnicy.

słone _____

kapusta włoska

z suszonymi grzybami

SKŁADNIKI
(dla 2 osób)

połowa główki
włoskiej kapusty

100 g grzybów
suszonych

50 g rodzynek

100 ml śmietany 36%

40 ml wina porto
czerwonego

olej

Przyprawy Prymat:

cynamon mielony

kminek mielony

sól morska

pieprz czarny mielony

SPOSÓB PRZYGOTOWANIA

• Z kapusty wykrawamy głąb. Wybieramy duże liście, odkrawamy twarde włókna, zwijamy w rulon i kroimy w cienkie paski.

• Przygotowujemy miskę z zimną wodą (można dodać kostki lodu). W dużym garnku zagotowujemy dobrze osoloną wodę. Do wrzątku wrzucamy pokrojoną kapustę. Czekamy, aż woda znów się zagotuje, i blanszujemy liście przez 3–4 min (czas zależy od kapusty, powinna być miękka, ale nierozgotowana). Kapustę wyjmujemy i wrzucamy do miski z zimną wodą. Gdy kapusta ostygnie w wodzie – odcedzamy ją, wykładamy na ściereczkę lub ręczniki papierowe i osuszamy.

• Na patelni podgrzewamy olej, wrzucamy kapustę, doprawiamy solą oraz pieprzem i smażymy pod przykryciem na małym ogniu przez 3–4 minuty. Doprawiamy do smaku mielonym kminkiem.

• Namoczone uprzednio suszone grzyby kroimy w cienkie paski o szerokości ½ centymetra. Smażymy na osobnej patelni przez 5–6 min, aż będą miękkie. Po tym czasie dodajemy namoczone uprzednio rodzynki, całość mieszamy i smażymy. Doprawiamy cynamonem mielonym i dolewamy porto. Podsmażamy. Następnie zmniejszamy ogień, dolewamy śmietanę i wszystko mieszamy. Gdy sos trochę zgęstnieje, wrzucamy do niego kapustę. Wszystko dokładnie mieszamy.

PODANIE

• Przygotowane danie rozkładamy na talerze, dekorujemy listkiem bazylii i podajemy.

Kminek
Dodawany jest do potraw ciężko strawnych i tłustych, do dań z fasoli, kapusty gotowanej, kiszonej lub surowej oraz do niektórych surówek i ziemniaków. Stanowi częsty dodatek do pikantnych wypieków, takich jak bułki, chleb i paluszki.

słone

tortilla z ziemniakami

i cebulą, po hiszpańsku

SKŁADNIKI
(dla 4 osób)

1 kg pokrojonych ziemniaków

6 jajek

1 cebula

olej lub oliwa z oliwek

Przyprawy Prymat:
oregano
pieprz biały mielony
sól morska

SPOSÓB PRZYGOTOWANIA

- Cebulę kroimy w piórka i smażymy na odrobinie oleju, aż się zeszkli (można dłużej, ale ważne, żeby jej nie zrumienić). Gotową cebulę odkładamy na talerz.

- W rondelku podgrzewamy olej (lub oliwę z oliwek). Ziemniaki pokrojone w plastry o grubości ½–1 cm osuszamy ręcznikiem papierowym. Następnie wrzucamy do gorącego oleju i frytujemy ok. 10 minut. Osączamy z tłuszczu na ręczniku papierowym i odczekujemy 2–3 min, aż lekko ostygną.

- Do miski wbijamy 6 jajek, solimy, dodajemy pieprz biały oraz oregano. Dodajemy ostudzoną cebulę i ziemniaki. Ponownie całość doprawiamy solą oraz pieprzem białym i dokładnie mieszamy.

- Na patelni podgrzewamy oliwę z oliwek i wlewamy zawartość miski (tortilla powinna mieć grubość ok. 3–4 cm). Smażymy najpierw na dużym ogniu, a gdy jajko się zetnie, możemy ogień zmniejszyć. Patelnię przykrywamy i powoli smażymy (czas zależy od grubości patelni; trzeba pilnować, żeby tortilla nie spaliła się od spodu i żeby jajka nie były rzadkie). Tortilla powinna dać się odwrócić. Następnie odwracamy tortillę na drugą stronę i smażymy, aż będzie zarumieniona z obu stron.

PODANIE
- Przekładamy ją na talerz, dzielimy na części i podajemy.

Pieprz biały
Jest odmianą pieprzu czarnego (dojrzałe owoce moczy się w wodzie, usuwa się zewnętrzną część owocni, a szarawe pestki suszy, aż staną się żółtawobiałe). Jest najostrzejszy w smaku, a zarazem najmniej aromatyczny. Służy do przyprawiania jasnych sosów i sałatek.

słone

warzywa faszerowane

SKŁADNIKI
(dla 2 osób)

300 g mielonego
mięsa wieprzowego

1 jajko

1 pomidor

1 bakłażan

1 cukinia

2 szalotki

oliwa z oliwek

Przyprawy Prymat:

przyprawa do mięsa
mielonego

papryka słodka mielona

sól morska

pieprz czarny mielony

SPOSÓB PRZYGOTOWANIA

• Bakłażan kroimy w grube plastry o szerokości ok. 3 cm, cukinię kroimy po skosie na duże kawałki o szerokości ok. 3 cm, a pomidor na połówki. Z każdego kawałka cukinii, bakłażana i pomidora wydrążamy miąższ tak, żeby powstały „miseczki". Pozostały miąższ wkładamy do jednej miseczki i odkładamy na później.

• Wydrążone kawałki cukinii i bakłażana układamy w naczyniu żaro-odpornym, doprawiamy do smaku solą oraz pieprzem, skrapiamy oliwą i wstawiamy do piekarnika nagrzanego do temperatury 180–190°C. Pieczemy tak długo, aż bakłażan będzie miękki. Po tym czasie dodajemy połówki pomidora i pieczemy razem jeszcze kilka minut.

• Gdy warzywa są w piekarniku, drobno kroimy pozostały miąższ, dodajemy do niego drobno posiekaną szalotkę, przyprawiamy do smaku solą oraz papryką i dokładnie mieszamy. Całość smażymy powoli na patelni na rozgrzanej oliwie, by woda odparowała. Gdy farsz się zagęści i zarumieni, przekładamy go do miseczki i studzimy.

• Do miski wkładamy mięso wieprzowe. Przyprawiamy do smaku solą oraz przyprawą do mięsa mielonego. Dodajemy jajko, dokładnie mieszamy i ugniatamy. Następnie dodajemy ostudzone smażone warzywa i wszystko mieszamy.

• Z piekarnika wyjmujemy podpieczone warzywa, faszerujemy je przy-gotowanym mięsem i układamy ponownie w naczyniu żaroodpornym. Warzywa podlewamy delikatnie wodą, a naczynie przykrywamy folią aluminiową i wstawiamy do piekarnika. Pieczemy ok. 15–20 min w tem-peraturze 180–190°C.

PODANIE

• Faszerowane warzywa układamy na talerzu, skrapiamy odrobiną oliwy, dekorujemy listkami bazylii i podajemy!

słone

hiszpańskie gazpacho

SKŁADNIKI

(dla 4 osób)

4 pomidory

1 papryka czerwona

1 papryka zielona

1 ogórek

1–2 ząbki czosnku

½ cebuli

60 ml octu winnego

60 ml oliwy z oliwek

½ l bulionu warzywnego

125 g pieczywa tostowego

Przyprawy Prymat:

tymianek

papryka słodka mielona

sól morska

pieprz czarny mielony

SPOSÓB PRZYGOTOWANIA

• Z pieczywa tostowego odkrawamy skórkę, kroimy miąższ w kostkę i wkładamy do miseczki. Następnie zalewamy połową porcji bulionu i połową porcji octu winnego. Miseczkę wkładamy do lodówki na co najmniej 3 godziny.

• Pomidory obieramy ze skóry i 3 z nich kroimy w grubą kostkę. Ogórek obieramy, przekrawamy na pół i pozbawiamy nasion. Miąższ z ogórka również kroimy w kostkę, podobnie jak cebulę. Pokrojone warzywa wrzucamy do miski. Dodajemy pokrojone ½ strąka papryki czerwonej i ½ zielonej oraz pokrojony czosnek. Dolewamy resztę porcji octu, oliwę z oliwek i mieszamy. Doprawiamy solą, pieprzem, papryką słodką mieloną i tymiankiem. Tak przygotowane warzywa wstawiamy do lodówki na 3 godziny.

• Pozostałe połówki papryki czerwonej i zielonej oraz pomidor kroimy w drobną kostkę i odkładamy do miseczki.

• Miskę z warzywami wyjmujemy z lodówki, warzywa wrzucamy do blendera, dodajemy namoczone pieczywo i dokładnie miksujemy. W razie potrzeby podlewamy bulionem warzywnym, by ułatwić rozdrabnianie. Po zmiksowaniu przelewamy chłodnik przez sito, przecierając łyżką aż do uzyskania gładkiej masy.

PODANIE

• Chłodnik dzielimy na porcje, posypujemy pokrojonymi wcześniej w kosteczkę warzywami i podajemy.

pikantne

pikantne _____

wołowina

po chińsku

SKŁADNIKI
(dla 2 osób)

400 g polędwicy wołowej

1 średnia kapusta pekińska

1 por

1 papryka zielona

50 g kiełków sojowych

kardamon

15 ml sosu sojowego jasnego

20 ml octu ryżowego

20 ml oleju sezamowego

olej zwykły

Przyprawy Prymat:

imbir mielony

pieprz czarny ziarnisty

papryka ostra mielona

sól morska

pieprz czarny mielony

SPOSÓB PRZYGOTOWANIA

• Kapustę, por oraz paprykę kroimy w cienkie paski. Pokrojone warzywa mieszamy z kiełkami i odstawiamy na chwilę.

• Wołowinę kroimy w cienkie kawałki i smażymy w dwóch partiach w woku na mocno rozgrzanym oleju. W trakcie smażenia mięso posypujemy do smaku solą, imbirem oraz papryką ostrą. Ważne, aby w trakcie smażenia olej był cały czas bardzo gorący. Obsmażone kawałki wołowiny odkładamy do osobnego naczynia.

• Po wyjęciu ostatniej partii mięsa do rozgrzanego woka wrzucamy pokrojone wcześniej warzywa z kiełkami i smażymy. Doprawiamy do smaku pieprzem, kardamonem, imbirem oraz papryką ostrą. Następnie wlewamy odrobinę octu ryżowego i mieszamy, aby nieco odparował. Dodajemy niewielką ilość sosu sojowego. Gdy warzywa są już miękkie, wrzucamy obsmażone kawałki mięsa i mieszamy. Całość polewamy odrobiną oleju sezamowego.

Kardamon
Używany jest do przyprawiania pasztetów, wypieków, deserów i sałatek owocowych, kompotów i musów jabłkowych. Znakomicie poprawia smak potraw z mięs i ryb, naleśników i słodkich ciast smażonych. Dodawany do kawy lub herbaty wzmacnia ich działanie pobudzające.

pikantne

pilaw

ryż jaśminowy z sosem sojowym na ostro

SKŁADNIKI
(dla 2 osób)

Sos sojowy:

1 papryka czerwona

1 ostra papryka

½ cebuli

50 g kiełków sojowych

80 ml jasnego sosu sojowego

40 ml octu ryżowego

20 g sezamu

40 g cukru kryształu

200 g ryżu jaśminowego

400 ml wody

½ cebuli

100 g masła

olej

Przyprawy Prymat:

imbir mielony

pieprz cytrynowy

chilli pieprz cayenne

sól morska

pieprz czarny mielony

SPOSÓB PRZYGOTOWANIA

- Sos sojowy: Z papryk usuwamy gniazda nasienne i kroimy strąki w cienkie paseczki. Połowę cebuli siekamy w piórka. Paprykę czerwoną, cebulę, część papryki ostrej i kiełki sojowe wrzucamy na patelnię z odrobiną oleju i chwilę podsmażamy. Następnie zmniejszamy ogień i wlewamy ocet ryżowy oraz sos sojowy, dodajemy do smaku cukru oraz pieprzu cayenne i jeszcze przez chwilę wszystko smażymy. Jeśli sos jest dla nas zbyt łagodny, możemy dodać resztę ostrej papryki.

- Połowę cebuli kroimy w drobną kostkę i lekko podsmażamy na małym ogniu w garnku z ok. 80 g masła i odrobiną oleju. Następnie do cebuli wsypujemy suchy ryż jaśminowy. Gdy nabierze on koloru perłowego, wlewamy wodę i przyprawiamy solą oraz pieprzem cytrynowym. Po zagotowaniu się wody wstawiamy garnek z ryżem do piekarnika nagrzanego do temperatury 180°C. Po 10–15 min, gdy ryż będzie miękki, wyjmujemy garnek z piekarnika i dodajemy resztę masła. Całość mieszamy.

PODANIE
- Ryż wykładamy na talerze i polewamy sosem sojowym. Całość posypujemy sezamem.

pikantne _____

pikantne

kurczak z ryżem

madras i curry

SKŁADNIKI

(dla 2 osób)

2 piersi z kurczaka

Ryż:

200 g ryżu jaśminowego

1 cebula

2 plastry ananasa

1 jabłko

garść rodzynek

olej

świeża mięta

1 kostka rosół z kury

400 ml wody

masło

Sos:

1 cebula

1 jabłko

1 plaster ananasa

olej do smażenia

50 ml wina białego
wytrawnego

125 ml śmietany 36%

Przyprawy Prymat:

papryka ostra mielona

pieprz kolorowy

przyprawa curry

liść laurowy

tymianek

sól morska

pieprz czarny mielony

SPOSÓB PRZYGOTOWANIA

• Ryż: Rodzynki wsypujemy do miseczki, zalewamy wodą i odstawiamy na chwilę do namoczenia. Cebulę, ananas i jabłko kroimy w bardzo drobną kosteczkę, a następnie podsmażamy razem w garnku na odrobinie oleju.

• Po chwili wsypujemy do garnka suchy ryż, przyprawiamy szczyptą tymianku, curry i jednym listkiem laurowym. Mieszamy dokładnie i podsmażamy.

• Do podsmażonego ryżu wlewamy wodę, solimy, dodajemy kostkę rosołową i doprowadzamy do wrzenia. Gdy ryż zaczyna się gotować, przykrywamy garnek pokrywką i wstawiamy do piekarnika nagrzanego do temperatury 160°C. Po 15–20 min, gdy ryż będzie miękki, wyjmujemy garnek z piekarnika, dodajemy odrobinę masła, odsączone rodzynki i całość dokładnie mieszamy.

• Gdy ryż jest w piekarniku, przygotowujemy kurczaka i sos. Piersi z kurczaka przekrawamy na pół, aby powstały cienkie plastry, przyprawiamy solą oraz ostrą mieloną papryką i podsmażamy z obu stron na oleju rozgrzanym na patelni.

• Sos: Cebulę, ananas i jabłko kroimy w bardzo drobną kosteczkę i podsmażamy na patelni, na której wcześniej przygotowywaliśmy kurczaka. Po chwili zalewamy wszystko odrobiną białego wytrawnego wina i mieszając od czasu do czasu, odparowujemy alkohol. Sos doprawiamy szczyptą curry i mieloną ostrą papryką. Na końcu dolewamy śmietanę, dokładnie mieszamy i po 1 min sos jest już gotowy.

• Zdejmujemy patelnię z ognia i do sosu wkładamy usmażone kawałki kurczaka.

PODANIE

• Kurczaka z sosem podajemy na talerzu ozdobionym listkiem mięty. Ryż przesypujemy do miseczki i podajemy z kurczakiem.

pikantne _____

trio z mięsa
w przyprawach

SKŁADNIKI
(dla 2 osób)

300 g karkówki
wieprzowej

300 g cielęciny

200 g boczku wędzonego

ogórki konserwowe

chrzan tarty

kilka pomidorków cherry

Marynata do karkówki:

1 ząbek czosnku

oliwa z oliwek

musztarda rosyjska Prymat

tymianek

oregano

zioła prowansalskie

sól morska

pieprz czarny
mielony Prymat

Marynata do cielęciny:

oliwa z oliwek

kminek mielony

chilli pieprz cayenne

sól morska

pieprz czarny
mielony Prymat

Sos:

4 łyżki keczupu

20 ml wody

3 łyżki miodu wielokwiatowego

1 łyżka musztardy rosyjskiej Prymat

SPOSÓB PRZYGOTOWANIA

• <u>Marynata do karkówki:</u> Do miski wkładamy czosnek pokrojony w drobną kostkę, łyżeczkę musztardy, odrobinę oliwy z oliwek, wsypujemy po szczypcie ziół prowansalskich, tymianku i oregano.

• Karkówkę kroimy w plastry, doprawiamy solą, mielonym pieprzem i dokładnie nacieramy marynatą z obu stron.

• <u>Marynata do cielęciny:</u> Cielęcinę kroimy w plastry, posypujemy solą i mielonym pieprzem. Obtaczamy w oliwie z oliwek i obficie posypujemy kminkiem mielonym i chilli.

• Rozpoczynamy grillowanie mięs.

• Na rozgrzany grill wkładamy najpierw cielęcinę i grillujemy ją z obu stron łącznie przez ok. 4 minut. Po tym czasie mięso umieszczamy w naczyniu żaroodpornym i wstawiamy do nagrzanego do 180°C piekarnika. Gdy cielęcina zapieka się w piekarniku, na grill wrzucamy karkówkę i również grillujemy ok. 4 min z obu stron. Karkówkę dokładamy do cielęciny znajdującej się w piekarniku.

• Następnie grillujemy plastry boczku (przez 4–5 min) i przygotowujemy sos.

• <u>Sos:</u> Do rondelka wlewamy 20 ml wody i zagotowujemy. Dokładamy 4 łyżki keczupu oraz 2–3 łyżki miodu. Mieszamy. Dodajemy jeszcze 1–2 łyżeczki musztardy.

PODANIE

• Przygotowujemy talerze, dekorując je świeżymi pomidorkami cherry, ogórkami konserwowymi i ziołami. Do trzech miseczek przekładamy sosy: przygotowany wcześniej sos miodowo-keczupowy, chrzan oraz musztardę rosyjską. Podpieczone kawałki mięsa układamy obok siebie na talerzu i podajemy.

pikantne

kolorowe szaszłyki

z polędwiczki wieprzowej

SKŁADNIKI
(dla 2 osób)

300 g polędwicy wieprzowej

100 g boczku wędzonego

1 pomidor

1 papryka czerwona

1 cebula

oliwa z oliwek

chrzan tarty

musztarda delikatesowa Prymat

Przyprawy Prymat:

przyprawa curry

tymianek

sól morska

pieprz czarny mielony

SPOSÓB PRZYGOTOWANIA

• Pokrojoną w niewielkie, równe kawałeczki polędwicę wieprzową układamy w naczyniu żaroodpornym, posypujemy solą, pieprzem, curry oraz tymiankiem. Następnie polewamy oliwą z oliwek i mieszamy, aby mięso obtoczyło się w przyprawach. Odkładamy na 10–15 minut.

• W tym czasie kroimy cebulę w ćwiartki i rozdzielamy na warstwy. Paprykę kroimy w średniej wielkości kwadraty, a pomidor w ćwiartki. Na patelni podgrzewamy odrobinę oliwy z oliwek i podsmażamy paprykę. Do papryki dorzucamy cebulę i smażymy z obu stron 3–4 minuty. Całość przyprawiamy solą, pieprzem oraz tymiankiem. Po chwili smażenia przekładamy warzywa do miseczki.

• Boczek kroimy w dość grube i długie kostki.

• Na patyczki do szaszłyka nabijamy boczek, cebulę, paprykę, pomidor i mięso w dowolnej kolejności. Pamiętajmy jednak, że na końcach powinny się znajdować kawałki boczku lub mięsa, by szaszłyk się nie rozpadał.

• Tak przygotowane szaszłyki obsmażamy na rozgrzanej patelni (bez dodatku tłuszczu) z każdej strony przez kilka minut. Następnie szaszłyki wkładamy do naczynia żaroodpornego i wstawiamy do piekarnika nagrzanego do temperatury 160–180°C na ok. 5–6 minut. Po tym czasie odwracamy szaszłyki na drugą stronę i pieczemy kolejne 3 minuty.

PODANIE

• Szaszłyki wykładamy na talerze i podajemy z musztardą i chrzanem.

Curry
Proszkowe mieszanki różnych przypraw wywodzące się z kuchni indyjskiej. Są zazwyczaj piekące w smaku i stosuje się je do ryżu, mięs, ryb.

pikantne _____

kurczak orientalny

po michelsku

SKŁADNIKI
(dla 2 osób)

Orientalna mieszanka
przypraw Michela:

papryka słodka mielona

papryka ostra mielona

imbir mielony

kolendra cała

kminek mielony Prymat

2 piersi z kurczaka

1 cebula

kilka pomidorów
cherry

5–6 plasterków
pomidorów suszonych
w oleju

40 ml wina białego
wytrawnego

20 ml sosu śliwkowego

10 ml octu ryżowego

10 ml sosu sojowego

olej do smażenia·

Opcjonalnie:

ryż

Przyprawy Prymat:

przyprawa curry

imbir mielony

sól morska

SPOSÓB PRZYGOTOWANIA

• Orientalna mieszanka przypraw Michela: Przyprawy mieszamy w misce w proporcjach wedle uznania.

• Piersi z kurczaka kroimy wzdłuż na dwa równe płaty, wrzucamy do miski z mieszanką przypraw Michela, posypujemy solą, imbirem oraz curry. Wok lub dużą patelnię stawiamy na ogniu i wlewamy odrobinę oleju.

• Przyprawione płaty kurczaka podsmażamy przez 3–4 min z obu stron. Jeśli płaty kurczaka są cienkie, smażymy je krócej. Ważne jest, by kurczaka nie wysuszyć, powinien zostać soczysty w środku. Podsmażone mięso odkładamy na osobny talerz.

• Cebulę kroimy w cienkie piórka i wrzucamy na ciepły tłuszcz, który pozostał po smażeniu kurczaka. Gdy cebula się zarumieni i wymiesza z przyprawami na patelni, dodajemy połówki pomidorków koktajlowych i pokrojone w cienkie paski pomidory suszone. Wszystko chwilę smażymy, od czasu do czasu mieszając. Następnie wlewamy ocet ryżowy i smażymy, aż ocet odparuje. W tym czasie rozgniatamy lekko pomidorki, żeby puściły sok. Po odparowaniu octu dolewamy sos sojowy i zmniejszamy ogień. Następnie dolewamy białe wino i przyprawiamy według uznania mieszanką przypraw Michela. Całość smażymy, mieszając. Na koniec dolewamy sos śliwkowy do smaku.

• Do tak przygotowanego sosu wkładamy kurczaka. Smażymy ok. 1–2 min, tak by kawałki mięsa pozostały soczyste.

PODANIE
• Kurczaka wykładamy na talerz i polewamy obficie sosem. Kurczak doskonale smakuje z białym gotowanym ryżem.

pikantne _____

stek

z sosem pomidorowym i zielonym pieprzem

SKŁADNIKI
(dla 2 osób)

340 g polędwicy wołowej

1 puszka pomidorów pelati

3 szalotki

musztarda sarepska Prymat

20 ml brandy

olej

1 łyżka pieprzu zielonego w zalewie

Opcjonalnie:
mięta

Przyprawy Prymat:
pieprz czarny grubo mielony

sól morska

SPOSÓB PRZYGOTOWANIA

- Szalotki siekamy w drobną kostkę i podsmażamy w garnku na odrobinie oleju. Gdy szalotki lekko się zeszklą, dodajemy połowę zielonego pieprzu oraz pomidory, mieszamy i gotujemy przez 10–15 minut. Po tym czasie przelewamy sos przez sito i to, co na nim zostało, przecieramy łyżką tak, żeby w połączeniu z odlanym sosem powstała gęsta gładka masa.

- Polędwicę przyprawiamy solą i grubo mielonym czarnym pieprzem. Na patelni podgrzewamy olej. Jeśli chcemy otrzymać stek średnio wysmażony, układamy polędwicę na oleju i smażymy 5 min z każdej strony. Jeśli wolimy stek krwisty, smażymy mięso ok. 3 min z każdej strony.

- Następnie steki wkładamy do naczynia żaroodpornego i wstawiamy do piekarnika nagrzanego do temperatury 170–180°C. Stek średnio wysmażony – na 10–15 min, a stek krwisty – na 5–8 minut. Pamiętajmy, by w trakcie pieczenia przełożyć steki na drugą stronę. Po tym czasie steki wyjmujemy i odkładamy.

- Na patelnię, na której smażyliśmy polędwicę, wsypujemy ziarna zielonego pieprzu i chwilę prażymy. Następnie zalewamy brandy i flambirujemy (sposób przygotowania potrawy polegający na oblaniu lub skropieniu dania alkoholem i podpaleniu go). Tak powstały sos dolewamy do masy pomidorowej i mieszamy.

PODANIE

- Na talerze wykładamy sos pieprzowy, na sosie układamy steki i dekorujemy listkami mięty. Podajemy z musztardą sarepską.

słodkie _____

słodkie _____

sałatka z kurczakiem

i rodzynkami

SKŁADNIKI

(dla 4 osób)

Sos sałatkowy:

1–2 cytryny

oliwa z oliwek

świeża mięta

1 sałata dębowa

1 sałata karbowana

2 pomidory obrane
ze skóry

1 papryka zielona

50 g namoczonych
w wodzie rodzynek

1 szalotka

2 piersi z kurczaka

Przyprawy Prymat:

kurkuma mielona

papryka słodka
mielona

sól morska

pieprz czarny mielony

SPOSÓB PRZYGOTOWANIA

• Sos sałatkowy: Wyciskamy sok z cytryn, dodajemy oliwę z oliwek wg uznania, doprawiamy solą. Dodajemy trochę poszatkowanej świeżej mięty i dokładnie mieszamy, by oliwa i sok się połączyły.

• Pomidory kroimy w ćwiartki, pozbywamy się gniazd nasiennych, a pozostałe łupiny z miąższu kroimy wzdłuż w niezbyt grube paseczki. Tak samo kroimy zieloną paprykę.

• Następnie przygotowujemy talerze, na których podana będzie sałata. Największe liście dobrze umytej i osuszonej sałaty układamy na talerzu. Średnie liście zwijamy tak jak roladę, odkrawamy końcówkę i układamy na środku talerza. Dokoła „bukiecika" z sałat układamy kawałki papryki i pomidora wymieszane z odrobiną sosu.

• Pierś z kurczaka kroimy w paski i posypujemy z obu stron solą, pieprzem i słodką papryką. Na patelni na odrobinie oliwy podsmażamy pokrojoną w cienkie plasterki szalotkę. Gdy szalotka lekko się zeszkli, dodajemy kurczaka i dopiero wówczas posypujemy go kurkumą. Smażymy po 2–2½ min z każdej strony, by kurczak pozostał soczysty. Gdy jest gotowy, wyłączamy ogień, a na patelnię dorzucamy wcześniej namoczone rodzynki. Całość chwilę mieszamy.

PODANIE

• Kurczaka z szalotką wykładamy na talerze z sałatą. Całość polewamy oliwą z patelni oraz wcześniej przygotowanym sosem i podajemy.

Kurkuma

Ważny składnik mieszanki curry. Tańszy substytut szafranu.
Charakteryzuje się słodko-ostrym smakiem.
Często stosowana w kuchni wegetariańskiej, jako przyprawa
do dań z fasoli i soczewicy. Nadaje potrawom żółtą barwę.

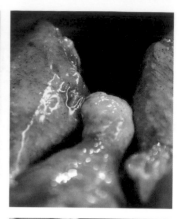

słodkie _____

kawałki kurczaka

ze śliwkami na słodko

SKŁADNIKI
(dla 2 osób)

4 podudzia z kurczaka

20 ml sosu śliwkowego

40 g miodu wielokwiatowego

1 ząbek czosnku

2 szalotki

pęczek rzodkiewek

100 g pieczarek

3 śliwki

posiekany szczypiorek

80 ml białego wytrawnego wina

olej

Przyprawy Prymat:

imbir mielony

kurkuma mielona

sól morska

pieprz czarny mielony

SPOSÓB PRZYGOTOWANIA

• W naczyniu żaroodpornym układamy podudzia z kurczaka, posypujemy solą, pieprzem, kurkumą oraz imbirem. Polewamy olejem, obtaczamy dokładnie w przyprawach i odstawiamy na chwilę.

• Rzodkiewki kroimy na połówki, wrzucamy do garnka z dobrze osoloną wrzącą wodą i gotujemy ok. minuty. Następnie odcedzamy je na sitku, przelewamy zimną wodą i odstawiamy.

• Na rozgrzanej patelni przez 4–5 min smażymy obtoczone w przyprawach kawałki kurczaka, aż nabiorą złocistego koloru. Do pozostałego w żaroodpornym naczyniu oleju dodajemy miód i rozcieramy. Zarumienione podudzia kurczaka ponownie przekładamy do naczynia. Na rozgrzaną patelnię, w której smażyliśmy kurczaka, wlewamy 40 ml białego wina i mieszamy, żeby zebrać pozostałe na niej przyprawy i olej. Wino wlewamy do naczynia żaroodpornego. Całość wstawiamy do piekarnika nagrzanego do 180°C na 8–10 minut.

• Szalotkę kroimy w cienkie plastry, a śliwki i pieczarki w ćwiartki. Na patelni rozgrzewamy odrobinę oleju i smażymy pokrojoną szalotkę oraz pieczarki. Przyprawiamy do smaku solą oraz pieprzem. Po chwili dodajemy również śliwki. Całość podlewamy 40 ml białego wina i pozwalamy alkoholowi odparować. Następnie dolewamy sos śliwkowy i pokrojony w kostkę ząbek czosnku. Wszystko mieszamy. Na koniec dodajemy łyżeczkę miodu i dokładnie mieszamy.

• Po upływie ok. 10 min wyjmujemy kurczaka z piekarnika i przekładamy na patelnię do sosu. Cały tłuszcz z naczynia żaroodpornego również przelewamy na patelnię. Całość smażymy na małym ogniu przez 3–4 minuty. Na koniec posypujemy danie posiekanym szczypiorkiem.

• Na drugiej patelni podgrzewamy olej i wrzucamy na niego blanszowaną wcześniej rzodkiewkę. Przyprawiamy solą oraz pieprzem i podgrzewamy.

PODANIE

• Kawałki kurczaka przekładamy na talerze, polewamy sosem, obok układamy rzodkiewkę i podajemy.

słodkie _____

polędwica wieprzowa

ze śliwkami i kasztanami

SKŁADNIKI

(dla 4 osób)

600–700 g polędwicy wieprzowej

300 g parzonych kasztanów jadalnych

20 ml wody

100 ml miodu wielokwiatowego

4 śliwki

1 cebula

50 ml octu balsamicznego

60 ml wina białego wytrawnego

chrzan tarty

olej

Przyprawy Prymat:

tymianek

liść laurowy

kolendra cała

przyprawa do pieczeni i mięs duszonych

sól morska

pieprz czarny mielony

SPOSÓB PRZYGOTOWANIA

- Polędwicę przekrawamy na pół. Posypujemy z obu stron solą, pieprzem, tymiankiem oraz przyprawą do pieczeni. Obsmażamy na rozgrzanym oleju przez 3–4 min z każdej strony.

- Cebulę kroimy w drobną kostkę, wrzucamy na tę samą patelnię, na której wcześniej obsmażaliśmy polędwicę. Śliwki kroimy w ćwiartki i wrzucamy na patelnię do lekko zeszklonej cebuli. Dodajemy również obrane i sparzone kasztany. Całość podsmażamy kilka minut. Następnie dodajemy odrobinę białego wina i pozwalamy odparować do połowy objętości. Dolewamy ocet balsamiczny i ponownie pozwalamy odparować sosowi do połowy objętości. Przyprawiamy do smaku kolendrą, tymiankiem i liściem laurowym. Na koniec dodajemy miód, dolewamy trochę wody, aby miód się nie przypalał, i mieszamy.

- Do tak powstałego sosu wkładamy polędwicę. Podsmażamy z obu stron, aż się zarumieni. Następnie przekładamy ją do naczynia żaroodpornego, zalewamy sosem z patelni i wkładamy do piekarnika nagrzanego do temperatury 180–190°C na ok. 13 minut.

- Po tym czasie mięso wykładamy na talerze i kroimy w plastry. Sos z naczynia żaroodpornego wlewamy z powrotem na patelnię i podgrzewamy, żeby trochę odparował i zgęstniał. Polewamy nim plastry polędwicy.

PODANIE

- Polędwicę ze śliwkami i kasztanami podajemy z chrzanem.

słodkie

beignets z jabłkami

SKŁADNIKI
(dla 2 osób)

2 jabłka

10 g drożdży świeżych

125 g mąki tortowej

2 jajka

200 ml mleka 2%

olej

cukier puder

sól

Przyprawy Prymat:
cynamon mielony

SPOSÓB PRZYGOTOWANIA

• Mąkę przesiewamy do wysokiej miski. Drożdże rozpuszczamy w odro-binie ciepłej wody i dodajemy do mąki. Mieszamy powoli i delikatnie. Następnie dodajemy żółtka i znowu mieszamy. Powoli wlewamy mleko i energicznie mieszamy do czasu, aż masa będzie gładka.

• Do drugiej miseczki wlewamy 2 białka. Delikatnie solimy i ubijamy na sztywną pianę, a następnie dodajemy do gładkiej masy na ciasto. Wszystko dokładnie mieszamy.

• Obrane jabłka kroimy w okrągłe, średniej grubości plastry. Każdy plaster jabłka dokładnie obtaczamy w cieście i wkładamy na rozgrzany na patelni olej. Smażymy z obu stron przez 2–3 minuty. Usmażone placuszki zdejmujemy z patelni i układamy na talerzu wyłożonym papierowym ręcznikiem, żeby odsączyć tłuszcz.

PODANIE

• Placuszki układamy na talerzu, dekorujemy listkami mięty, a całość posypujemy cynamonem mielonym oraz cukrem pudrem.

Cynamon
Wyróżnia się intensywnym słodko-korzennym zapachem oraz przyjemnym piekącym smakiem. Znakomicie nadaje się zarówno do dań słodkich, jak i pikantnych.
Szczególnie często używany jest jako dodatek do potraw z jagnięciny, do dań z ryżu, napojów, ciast.

słodkie _____

fondant czekoladowy

z ostrą papryką

SKŁADNIKI
(dla 2 osób)

200 g gorzkiej
czekolady 70%

120 g masła

90 g cukru
(można dodać mniej)

5 jajek

2 łyżki mąki pszennej
tortowej

1 papryczka chilli

cukier puder
do posypania

Przyprawy Prymat:
papryka ostra mielona
cynamon mielony

SPOSÓB PRZYGOTOWANIA

- Najpierw rozpuszczamy czekoladę w kąpieli wodnej. W tym celu należy włożyć metalową miskę z kawałkami czekolady do garnka z wrzącą wodą, tak aby dno miski nie dotykało wody. Gdy czekolada się rozpuści, dodajemy do niej masło, delikatnie mieszamy, aż składniki się połączą i odstawiamy do ostygnięcia.

- W tym czasie do drugiej miski wbijamy 4 całe jajka oraz 1 żółtko i dokładnie roztrzepujemy, wsypując powoli cukier. Następnie do masy jajecznej dodajemy powoli przestudzoną czekoladę, 2 łyżki mąki i energicznie mieszamy w celu uzyskania jednolitej masy. Doprawiamy szczyptą ostrej papryki.

- Foremki do zapiekania smarujemy cienko masłem. Do tak przygotowanych foremek wlewamy masę czekoladową (nie do pełna, ponieważ fondanty wyrosną podczas pieczenia). Wstawiamy na środkowy poziom piekarnika nagrzanego do temperatury 180–190°C na ok. 10–11 minut. Fondanty są gotowe, gdy ich wierzch jest lekko wypieczony.

- Po wyjęciu fondantów z piekarnika, delikatnie odsuwamy ich brzegi od foremki i ostrożnie wykładamy na talerz.

PODANIE

- Gotowe fondanty posypujemy cukrem pudrem i cynamonem, a na wierzchu kładziemy cienki plasterek papryczki chilli. Podajemy ciepłe.

słodkie _____

naleśniki

z karmelem pomarańczowym i cynamonem

SKŁADNIKI
(dla 2 osób)

Naleśniki:

125 g masła

2 jajka

1 żółtko

125 g mąki pszennej tortowej

250 ml mleka 2% w temperaturze pokojowej

1 łyżka cukru pudru

olej

Karmel pomarańczowy:

skórka z 1 pomarańczy

50 g cukru kryształu

sok z 1 pomarańczy

50 g masła

Opcjonalnie:

listki melisy

Przyprawy Prymat:
cynamon mielony

SPOSÓB PRZYGOTOWANIA

- Naleśniki: W małym garnku rozpuszczamy masło i odstawiamy do lekkiego przestudzenia. W dużej misce roztrzepujemy 2 jajka oraz żółtko, a następnie stopniowo wsypujemy mąkę, cały czas mieszając. Następnie dolewamy mleko i dodajemy cukier puder. Całość mieszamy do powstania jednolitej konsystencji. Jeżeli pozostały grudki, możemy przecedzić masę przez sito. Na koniec stopniowo dodajemy rozpuszczone i wystudzone masło. Ciasto odstawiamy do lodówki na ok. 15–30 minut.

- Rozgrzewamy patelnię, smarujemy ją delikatnie olejem i smażymy cienkie naleśniki. Gotowe składamy na 4 części i układamy na talerzu.

- Karmel pomarańczowy: Skórkę z pomarańczy kroimy w bardzo cienkie paseczki, wrzucamy do suchego rondelka i posypujemy ok. 25 g cukru kryształu. Całość gotujemy ok. 3–4 min na małym ogniu. Przekładamy na sito i odstawiamy.

- Na patelni rozpuszczamy masło, a następnie zmniejszamy ogień i dolewamy sok pomarańczowy. Całość doprawiamy do smaku cynamonem. Do soku z masłem dosypujemy resztę cukru kryształu, dorzucamy wcześniej przygotowaną skórkę z pomarańczy i mieszamy od czasu do czasu, aż składniki się połączą, a karmel zgęstnieje.

PODANIE

- Złożone naleśniki układamy na talerzu i polewamy ciepłym karmelem. Dekorujemy listkami melisy i delikatnie, dla ozdoby, posypujemy cynamonem.

Melisa

Listki o cytrynowym zapachu dodawane są do sałat, sosów, napojów i niektórych potraw słodkich. Świeże nie nadają się do gotowania.

słodkie

tarta fine z jabłkami

i sosem toffi

SKŁADNIKI
(dla 2 osób)

100 g ciasta francuskiego

2 jabłka

1 żółtko

truskawka

listki mięty

Sos toffi:

150 g cukru

5 łyżek śmietany 36%

100 g masła

Przyprawy Prymat:

cynamon mielony

papryka słodka mielona

SPOSÓB PRZYGOTOWANIA

• Sos toffi: Cukier wsypujemy do rondelka, stawiamy na małym ogniu i powoli rozpuszczamy. Masło kroimy na kilka kawałków i gdy cukier zaczyna się rozpuszczać, wrzucamy pierwszy kawałek. Nie mieszamy. Po chwili wrzucamy kolejny. Nadal nie mieszamy, pozwalając masłu trochę się rozpuścić. Następnie wrzucamy pozostałe kawałki masła i dopiero w tym momencie zaczynamy mieszać. Mieszamy, aż składniki się rozpuszczą. Teraz bierzemy trzepaczkę i mieszając wszystko energicznie, stopniowo dolewamy śmietanę. Całość gotujemy na małym ogniu przez 7–8 minut. Po tym czasie zdejmujemy rondelek z ognia i odstawiamy.

• Jabłka kroimy w ćwiartki, pozbawiamy gniazd nasiennych i kroimy w poprzek w cienkie plasterki.

• Blachę wykładamy papierem do pieczenia. Smarujemy go cieniutko masłem i układamy wycięte z ciasta francuskiego koła. Na ciasto kładziemy plasterki jabłka, ciasno jeden obok drugiego. Jabłka obsypujemy obficie cukrem i smarujemy je rozkłóconym żółtkiem jajka.

• Blachę wkładamy do piekarnika nagrzanego do temperatury 190°C na 7–8 minut. Po tym czasie otwieramy piekarnik i posypujemy tarty cynamonem. Pieczemy dalej, aż ciasto i jabłka się zrumienią.

PODANIE

• Wyjmujemy tarty na talerze i polewamy sosem toffi. Talerze dekorujemy m.in. słodką papryką mieloną, plastrami truskawki i listkiem mięty.

słodkie

pieczone banany

SKŁADNIKI
(dla 2 osób)

4 banany

4 jajka

50 g cukru

Przyprawy Prymat:

1 laska wanilii

sól morska

papryka słodka mielona

SPOSÓB PRZYGOTOWANIA

- Banany myjemy, odcinamy końcówki i kroimy wzdłuż na pół. Łyżeczką wyjmujemy miąższ bananów do wysokiego pojemnika, tak aby nie uszkodzić skóry. Miąższ miksujemy na gładką masę.

- Białka jaj oddzielamy od żółtek. Do żółtek dodajemy cukier i energicznie ubijamy trzepaczką. Do białek dodajemy szczyptę soli i ubijamy na sztywną pianę.

- Do masy bananowej dodajemy ziarna z laski wanilii, łączymy z ubitymi żółtkami i mieszamy. Na koniec dodajemy pianę z białek.

- Skóry z bananów układamy na blaszce wgłębieniami do góry. Łódeczki z bananowych skórek wypełniamy masą bananowo-jajeczną i wkładamy do piekarnika nagrzanego do 180°C na ok. 15 minut.

PODANIE

- Banany wyjmujemy z piekarnika i podajemy na talerzu udekorowanym papryką.

Wanilia

Ma słodkawy delikatny smak i zapach, który wydziela się pod wpływem ciepła. Używana jest do sosów, deserów, ciast, kremów i lodów. Wspaniale łączy się z cynamonem, imbirem i goździkami.

spis treści

b2211

Projekt okładki i stron tytułowych: *Paweł Panczakiewicz/PANCZAKIEWICZ ART. DESIGN*
Projekt graficzny książki: *grupaa3.com.pl*
Redaktor prowadzący: *Bożena Zasieczna*
Korekta: Elżbieta Morawska
Fotografie autora na okładce: *Earl Grey Film*
Fotografie autora na s. 7, 139 i 155: *Jacek Nowaczyński*
Pozostałe fotografie potraw: *Earl Grey Film*
Fotografie ziół: *Fotolia.com*
s. 9 Kondor83, s. 13 Swapan, s. 15 Alessandro Capuzzo, s. 25 scis65, s. 29 artmim, s. 31 Dionisvera,
s. 33 Dionisvera, s. 37 Dionisvera, s. 45 andriigorulko, s. 49 Andrea Wilhelm, s. 51 Paulista,
s. 61 M.studio, s. 69 margo555, s. 75 Taiga, s. 79 andriigorulko, s. 83 volff, s. 95 margo555,
s. 99 Kesu, s. 101 photocrew, s. 105 viperagp, s. 109 scis65, s. 111 andriigorulko, s. 113 womue,
s. 127 Paulista, s. 127 Roman Samokhin, s. 131 andriigorulko, s. 133 Abel Tumik, s. 141 GIS,
s. 157 andriigorulko, s. 149 uwimages, s. 163 andriigorulko, s. 167 Yasonya, s. 171 Valentina R.,
okładka s. II i III: furtseff

Przepisy zamieszczone w książce pochodzą z programu Doradca smaku

© for this edition by MUZA SA, Warszawa 2014

ISBN 978-83-7758-672-3

Książkę wydrukowano na papierze ClaroBulk 130 g/m²
z oferty Antalis Poland

antalis ᴱᴹ
Just ask Antalis
www.antalis.pl

MUZA SA
00-590 Warszawa, ul. Marszałkowska 8
tel. 22 6211775
e-mail: info@muza.com.pl
Dział zamówień: 22 6286360
Księgarnia internetowa: www.muza.com.pl

Warszawa 2014
Wydanie I

Skład i łamanie: grupaa3.com.pl, Toruń
Druk i oprawa: Colonel S.A., Kraków